3

Cyfres Cymêrs Cymru

Cymeriadau YNYS MÔN

EMLYN RICHARDS

**Gwasg
Gwynedd**

Argraffiad Cyntaf — Tachwedd 2004

© Emlyn Richards 2004

ISBN 0 86074 206 7

*Cyhoeddwyd ac argraffwyd
gan Wasg Gwynedd, Caernarfon*

Cyflwynedig i Harri, 'mrawd,
y baledwr o Lŷn

Cynnwys

Diolch

Dyledwr wyf i dyrfa fawr a rannodd yn hael hefo mi eu hatgofion am gymeriadau y mae eu tebyg yn darfod o'r tir, gwaetha'r modd.

Nid oes ofod imi'ch enwi bob yn un ac un – fy niolch diffuant i chwi i gyd.

Y mae, wrth gwrs, sawl Cymêr arall ym Môn, 'y rhai nid ŷnt' yn y gorlan fach hon. Fe haeddant hwythau gael eu cofio.

EMLYN RICHARDS

John Bodgynda

Mewn teyrnged i John Rowlands, Bodgynda, ar ddydd ei arwyl fe ddywedodd y Parch John Alun Roberts beth dramatig fel hyn amdano, 'Rwy'n dychmygu gweld ffarmwrs a phregethwrs yr hen Sir yma i gyd yn disgwyl amdano'r ochor draw, ac yn galw efo'i gilydd – "Dacw fo'r hen Drefollwyn yn dŵad i godi'r galon!" '

Ia, dyn pobol a chynulleidfa oedd John Bodgynda, ac fe lwyddai yn ddieithriad i godi calon pawb lle bynnag y byddai; nid oedd dim a roddai fwy o foddhad iddo na chynulleidfa yn mwynhau eu hunain ac yntau'n gyfrifol am hynny.

Fe dynnai ei weddïau, hyd yn oed, wên i wyneb yn ddieithriad. Fel y dywedodd unwaith ar ei weddi yng Nghapel Cefniwrch lle'r oedd yn flaenor: 'Diolch nad wyt ti fyth yn gwneud pawb yn sâl efo'i gilydd, neu mi fasa yma le sobor heb neb i ofalu am y cleifion.' Dro arall diolchai am gael codi'r bora: 'Yr wyt ti yn ein deffro ni yn y bora; arnom ni mae'r bai na fasan ni'n codi'n syth ar ôl i ti ein deffro!'

Heb os, uchelgais John Rowlands mewn bywyd oedd bod yn ocsiwnïar ac ymroes iddi gan droi pob achlysur yn baratoad ac ymarfer ar gyfer y dydd y byddai yn y bocs gwerthu. Yr oedd pob cymhwyster ganddo i'r gwaith – llais

treiddgar, ffraethineb, hiwmor a llond gwlad o berson-
oliaeth radlon hapus. Popeth ond un peth – y drwydded i
arwerthu. Yr oedd dynion ifanc yn dilyn cyrsiau mewn
arwerthu i ddod yn Gymrodyr o Sefydliad yr Arwerthwyr
– yr FAI – ond honnai John iddo gael gwell ysgol na'r
gwybodusion hyn, sef troi a throsi efo pobol a magu
profiad yn y gelfyddyd o siarad yn gyhoeddus.

Manteisiai ar bob cyfle a gâi i gymhwyso'r ddawn i siarad
er mwyn cymell a pherswadio pobol – prif gymhwyster
ocsiwnïar – a manteisiai ar y cyfle i wrando ar bregethwr
wrth ei waith. Apeliai'r gelfyddyd o bregethu ato yn fwy o
lawer na'r bregeth ei hun! Nid rhyfedd i John Alun weld
hen bregethwyr Môn yn disgwyl amdano'r ochr draw
– onid hwn oedd y gwrandawr gorau a gawsant tra yma ar y
ddaear?

Fe'i cyfareddwyd yn lân gan bregethu Dr Hugh
Williams ar bnawn Sul yng Nghefniwrch. Ar ei ffordd
adref ar ei foto-beic dechreuodd John ddynwared y Doctor
– cofiai'r bregeth ac ystum y pregethwr. Aeth y moto-beic
yn bulpud a'r coed gwiail yn gynulleidfa, nes daeth
brawddeg yn y bregeth a oedd yn gofyn am iddo godi ei
ddwylo gyda bloedd, a thrywanodd y moto-beic drwy'r
gwiail i'r gors wlyb.

Daeth Hugh y gwas ar ei ffordd o'r un oedfa a thosturio
wrtho. Un gofid a bryderai John yn y ffos – 'Nefoedd fawr!
Mae 'Steddfod Bodedern nos yfory a finnau i drio ar y prif
adroddiad!' Er gwaetha'r anaf cipiodd y wobr nos
trannoeth, er iddo gael gwybod gan ei ddoctor ei fod wedi
torri pont ei ysgwydd.

Ar un achlysur, a Morgan Evans yn ei ddilyn yn ei gar i
sêl Califfornia, sylwodd Morgan fod car John Rowlands yn

gwyro'n beryglus o'r naill ochr i'r llall ar y ffordd gul. Closiodd y Clerc yn nes ato gan gredu'n siŵr ei fod yn wael neu mewn diod, gan fod ei freichiau fel esgyll melin yn cyhwfan uwch ei ben. Er mawr ryddhad i Morgan Evans, cyraeddasant y cae sêl o'r diwedd ac yr oedd John Bodgynda fel dyn newydd, yn wên o glust i glust.

'Ydach chi'n iawn, John?' holodd Morgan, yn llawn pryder yn ei gylch.

'Iawn! Fûm i rioed yn teimlo'n well,' meddai.

'Ydi'r car yn iawn?' holodd Morgan eto. Disgynnodd y geiniog ac eglurodd John y rheswm am y gyrru herciog.

'Wli, Morgan,' meddai, 'mi fydd yna sêl fawr heddiw. Paratoi ar gyfer honno yr oeddwn i – mi fydd rhaid i mi gadw'r hen ffarmwrs yma'n ddiddig!'

Profiad arall a'i cymhwysodd i swydd arwerthwr oedd iddo fod yn borthmon moch a gwartheg am gyfnod maith. Yn wir, fel porthmon y meddyliai pawb amdano. Daeth i adnabod pob ffermwr ar yr Ynys a byddai ei arabedd ffraeth yn ennill pob gwerthwr cyndyn.

Golygfa gyffredin fyddai gweld Ned Robaits, ei was, yn gyrru cenfaint o foch hyd y mân ffyrdd a arweiniai i Langefni. Ar un o'r troeon hyn bu anffawd ac aeth troed un o'r moch i ratin ar y ffordd gan dorri fel cratshian. Roedd John wrth law yn llawn ei ffwdan a'r mochyn ac yntau yn gweiddi am y gorau. Cafwyd benthyg tryc groser dwy-fraich, a chlymwyd y mochyn ar wastad ei gefn arno. Gorchmynnodd Ned i fynd â fo at Thomas John, y bwtsiar, i'w ladd yn ddiymdroi. Rhedodd Ned druan hefo'r mochyn swnllyd drwy'r stryd fawr, gyda John ar y blaen yn sicrhau pawb nad oedd dim byd o bwys wedi digwydd. Wrth gwrs doedd rhyw syrcas fel hyn fawr o help i enw da'r porthmon moch!

Lladdwyd y mochyn a'i dorri'n ei hanner ac fe'i dygwyd yn dawel bach i Fodgynda. Anfonwyd Ned Robaits yn gynnar y pnawn hwnnw i wahodd yr holl ardal – yn gymdogion a chymdogesau – i Fodgynda y noson honno. Ufuddhaodd pawb bron i'r gwahoddiad i weld John yn ei afiaith, yn llewys ei grys, yn darnio'r mochyn cloff. Gwerthwyd ef bob tamaid mewn dim o dro. Gwnaed elw o swllt a naw a gresynai John Rowlands na fyddai'r moch i gyd wedi rhoi eu traed yn y gratin!

Rhyw nos Iau, agorwyd drws y bu John yn curo wrtho gyhyd. Holodd dyn ifanc, o'r enw Bob Parry, a oedd modd cael canolfan lle y gallai gynnal ocsiwn. Trefnodd John Bodgynda safle addas ar dir Cae Ysgawen mewn dim o dro, yn agos i'r pedair croeslon ym Mryn-teg ac o fewn cam neu ddau i dafarn enwog y Califfornia. Cafodd John ei big i mewn i'r cwmni newydd ac ef fu'r linc bwysicaf rhwng Bob Parry a Sir Fôn. Daeth yn drefnydd i Bob Parry; ef oedd dyn y gloch ac ef hefyd fyddai'n paratoi'r ring ar gyfer y sêl.

Torrodd gwawr arall yn hanes John pan ddaeth neges dros y ffôn fod Bob Parry wedi cael damwain, a bod raid chwilio am ocsiwnïar y diwrnod hwnnw. Cerddodd John at y dyrfa o ffermwyr oedd yn disgwyl yn eiddgar i'r sêl gychwyn.

'Dyma fo'r ocsiwnïar heddiw,' meddai, ac felly y bu. Cafodd sêl dda, gwerthwyd y cwbwl a chafodd pawb ei blesio. Fu erioed y fath ddifyrrwch mewn arwerthiant ac, yn ôl John, fu erioed ddamwain fwy buddiol.

Daeth yn enwog mewn dim o dro fel ocsiwnïar

gwreiddiol a ffraeth. Rhyfeddai pawb at ei ddawn barod a'i sylwadau bachog a chlywai rhai ynddo dinc o hen ddawn Môn, a fu mor nodweddiadol o'r pulpud. Dan gyfaredd John byddai'r adloniant cyn bwysiced â'r gwerthu.

Fel hen borthmon moch, ef a werthai'r moch yn ddieithriad ym mart Llangefni. Deuai porthmyn pur enwog o Lerpwl a Manceinion yno'n rheolaidd gan wisgo brethyn gwell na'r mwyafrif, gyda het a thei yn cydweddu, a theimlent yn reit bwysig ymhlith y capiau blêr a'r hetiau clwt tyllog. Gwthiodd un ohonynt, Mr Coupe o Lerpwl ac un uchel ei gloch, draw at yr ocsiwnïar.

'These pigs are very small,' meddai.

Doedd Saesneg John ddim yn dda ac meddai'n bwyllog, fesul gair, fel plentyn troednoeth ar raean,

'You have to be small to be big.' Ef a enillodd y rownd honno.

Wrth werthu hwch focha a neb yn cynnig amdani gwaeddodd rhywun o'r dyrfa, 'Pa bryd y daw hi â moch, John?'

'Gynta byth ag y medar hi,' atebodd yntau.

Yr oedd dwsin o hwyaid a cheiliog i'w gwerthu unwaith ac i gymhlethu pethau cafodd John Rowlands neges fod yno Sais â diddordeb yn eu prynu. Er mwyn yr 'English friend' hwnnw, fe droes John i'r Saesneg ac mae'n amlwg mai'r ceiliog hwyaden a greai'r broblem i'r ocsiwnïar.

'Beth ar wyneb y ddaear ydi ceiliog chwiadan yn Saesneg?' gofynnodd, gan blygu at Morgan Evans, a oedd yn clarcio. Heb dynnu sylw at y dryswch, atebodd Morgan trwy gil ei geg, 'Drake.'

'Paid â rwdlan yn wirion,' meddai John, gan dybied mai

tynnu coes yr oedd y clerc. Rhoes John gynnig arni hi ar ei liwt ei hun, ac meddai yn llawn hyder,

'Who will bid me for the ducks and the ducker?'

Ond mewn sêl fferm y gwelid John Bodgynda ar ei orau. Gyda'r amrywiaeth mewn offer a chelfi, dangosai ei ddawn a'i allu byrfyfyr wrth eu disgrifio'n gofiadwy.

Gwerthai braidd o ddefaid unwaith mewn sêl fferm yn Llanfechell. Trawyd y defaid i berson y plwyf, a oedd yno yng nghanol y ffermwyr yn ei ddiwyg offeiriadol. Daeth y marciwr ymlaen yn syth wedi'r gwerthu ond nid oedd John am golli'r cyfle i dynnu sylw at y person. Gorchmynnodd y marciwr i roi marc reit amlwg ar y defaid.

'Ella y gwnaiff o dy gladdu di am ddim!' meddai.

Erbyn dechrau tridegau'r ganrif ddiwethaf yr oedd masnach ail-law ar gynnydd. Rhyw bethau digon tebyg i 'hen siandri' yr Henllys Fawr fyddai'r rhan fwyaf o bethau a werthid dan y forthwyl a chafwyd sawl noson lawen pan fyddai John Bodgynda yn trio'u gwerthu. Wrth werthu modur felly wrth fynedfa sêl, ac yn methu'n lân â chael cynnig o unman, gwelodd John fod Pitar Jôs, Gwalchmai, yn nesáu. Yr oedd Pitar yn brynwr hen swynogydd – cig corn-bîff fel y'i gelwid.

'Wyt ti isio car, Pitar, aiff â thi i unrhyw le yn y Sir yma, a dod â thi adra?'

Craffodd Pitar arno a rhoes ei ddedfryd yn gyhoeddus,

'Does yna fawr o gorn-bîff ar hwnna, John bach,' meddai'n wawdlyd.

'Wel,' meddai John, 'mae ynddo ddigon o ddeunydd tuniau i roi'r corn-bîff ynddo!'

Yn wahanol i'r 'Gŵr Goludog' hwnnw, mi gafodd John

Rowlands, Bodgynda, ei wynfyd yma ar y ddaear, wrth godi calon pawb arall. Ac yn ôl John Alun, mae o'n dal wrthi ar ôl mynd oddi yma hefyd!

Margiad Jôs

Eisteddai Pitar ac Evan yn reit aflonydd yn y car wrth y siop, gan dynnu'r awenau'n ôl a blaen ac aflonyddu ar y ferlen fach ddu. O'r diwedd daeth Margiad Jôs, eu mam, allan o'r siop dan siôl ddu drom. Yr oedd golwg brysur, frysiog arni, yn dal i gnoi ei chil o fara llefrith a phowliad o de cryf. Mae hi'n fore Sadwrn eto, a stondinau'r farchnad yng Nghaergybi yn galw. Mae can mlynedd a mwy ers y bore hwnnw a phrin fod neb yn cofio Margiad Jôs, y fwtsieres o Walchmai.

Cadw tŷ a magu plant fyddai dyletswyddau pob merch o genhedlaeth Margiad Jôs. Roedd yn alwedigaeth amser llawn, ond fe geid eithriadau o bryd i'w gilydd. Yr oedd Margiad Jôs wedi dysgu crefft y bwtsiar er yn ifanc a bu'n ei harfer gydol ei hoes faith. Yr oedd elfen o raid ac o reddf yn ei stori; pan y'i gadawyd yn weddw gyda phedwar mab ieuanc troes at yr unig alwedigaeth a adwaenai'n dda.

Yn ôl y sôn fe'i ganed ym Mhant y Fflamiau lle codwyd sawl porthmon a photsiar enwog. Ganwyd Margiad Jôs hithau â nwyd y bwtsiar ynddi; medrai ladd unrhyw beth, o gyw iâr i eidion. Eto ni chyfrifid hi'n od nac yn wahanol rhywfodd am fod ynddi gymaint o rinweddau annwyl ac agos-atoch. Yr oedd yn un o'r cymeriadau hynny a oedd yn hoffus gan bawb, yn enwedig y plant. Yn wir, yr oedd yn nain i holl blant yr ardal er bod ganddi ddigonedd o wyrion ac wyresau cyfreithlon – yr oedd gan Pitar Jones, ei mab, dri ar ddeg o blant!

Byddai Siop Groeslon yn dynfa i blant a phobol o bob gradd a dosbarth ac fel bwtsiar gwlad byddai'n rhaid iddi borthmona cryn dipyn – deliai mewn gwartheg, defaid a ffowls, heb sôn am wylltfilod. Byddai Pitar ac Evan, y ddau fab hynaf, yn porthmona er yn ifanc a gwyddent i'r dim beth i'w brynu ar gyfer lladd-dŷ eu mam. Gwnâi Margiad yn siŵr y câi amrywiaeth o gigoedd a fyddai'n ateb gofynion cwsmeriaid y stondin ym Mangor ar ddydd Mercher ac ym marchnad Llangefni ar y Difia, ond marchnad Caergybi fyddai tynfa naturiol Margiad Jôs ar ddydd Sadwrn.

Ambell wythnos yn y gaeaf fe laddai eidion neu hen fuwch yn ôl y gofyn, ac yn ei dydd gallai gario chwarter ôl eidion yn ddigon diymdrech ar ei hysgwydd. Ond hen ddefaid a hen ieir fyddai'r cynnyrch mwyaf cyffredin ar gyfer stondin Caergybi, ynghyd â llawer iawn o gwningod.

Yr oedd Gwalchmai yn enwog am ei photsiars a châi Margiad ei siâr o'u helfa yn hwyr y nos, rhag i neb eu gweld. Cwynai Margiad wrth y potsiars y byddai'r farchnad yn gynddeiriog o llawn o gwningod ac y byddai'n rhaid iddynt fodloni ar ei phris, gan nad oedd rhyw lawer o amser rhwng y dal a'r drewi. Newidiai ei chân wrth y stondin gan haeru fod cwningod yn rhyfeddol o brin, ac o ganlyniad byddai raid codi'r pris!

Er hyn i gyd, at siop Nain Groeslon y deuai'r potsiars gan wybod y gallai hi gadw pob cyfrinach iddi ei hun. Rhoes hwb dda i'r diwydiant hen ieir hefyd gan y cadwai pawb ychydig o ieir yn yr oes honno, a chan fod iâr yn heneiddio'n ifanc byddai'n bwysig cael marchnad wrth law.

Fyddai Margiad a'i helpars ifanc fawr o dro yn pluo cryn ddeugain o ieir. Mae'n wir i ambell hen iâr lithro heibio fel cyw, fel y bu i sawl darn o hen ddafad droi'n oen Cymreig. Nid oedd modd dweud y gwahaniaeth, dim ond ar y plât! Ond medrai Margiad Jôs dawelu'r fagad ffyrnig yr wythnos wedyn.

Ar ei dro, fe ddeuai bonheddwr trwsiadus at ei stondin a cheisio dal llygaid y stondinwraig brysur heb ddweud gair. Medrai Margiad Jôs lithro ceiliog ffesant i fasged cwsmer felly heb i neb sylwi.

Hen farchnad Caergybi fyddai nefoedd Margiad Jôs. Yr oedd pawb yn ei hadnabod a hithau'n adnabod pawb. Byddai ei stondin ar y dde wrth y drws, yn yr un man bob Sadwrn. Fu erioed dynfa debyg i blant a phobol, gyda thanllwyth o dân agored yn cochi wynebau'r plant yn y gaeaf. Ceid yno dros ddeg ar hugain o stondinau a byddai'r lle yn fyw o bobol.

Dysgodd Margiad y gelfyddyd o werthu mewn marchnad yn well na neb – treuliodd bum mlynedd a thrigain wrth y gwaith. Fe wyddai i'r dim beth oedd angen pawb a beth oedd cyraeddiadau eu poced. Tosturiai lle'r oedd gwir angen a disgyblai'r neb a geisiai gymryd mantais arni.

Yn naturiol, fe ddysgodd y triciau i gyd dros y blynyddoedd. Gofalai roi'r gwningen fwyaf o'r ddalfa i hongian ar gornel y stondin yng ngŵydd pawb. Byddai un felly yn ginio Sul ynddi'i hun a deuai cais amdani ar unwaith. Âi hithau â'r gwningen fawr i gefn y stondin i'w lapio a derbyn chwe cheiniog amdani. Mewn dim o dro byddai'r gwningen yn ei hôl yn yr union fan ac fe'i gwerthid lawer gwaith yn ystod y dydd, neu'n hytrach bu'n help i werthu'r cwningod eraill.

Yr oedd pwrpas arall i'r gwningen fawr, sef tynnu sylw a thynnu pobol at y stondin. Weithiau byddai pethau'n ddigon digynnig a phobol ofn torri'r garw rhag ofn y deuai'r prisiau i lawr yn nes ymlaen. Ar achlysur felly unwaith, a chylch o ferched y dref yn rhythu'n fud ar y stondin, holodd Margiad yn sydyn,

'Beth ydach chi isio, ferched?'

'Dim,' atebodd y merched yn hanner plentynnaidd.

'Wel,' meddai Margiad, 'mi rydach chi'n *sbïo* ar bob dim.'

Byddai ganddi rywbeth at ofyn pawb. Ysgwydd hen ddafad wedi'i thorri'n ddwy fyddai dewis rhai, tra mentrai eraill goes oen – os oen hefyd. Byddai'r hen ieir a'r cwningod yn llawer is ar yr ysgol. Mewn oes mor dlawd doedd yr un eitem yn fwy na hanner coron, ond ar gyfartaledd oddeutu deunaw ceiniog fyddai'r pris a delid.

Nid oedd ganddi'r fath beth â thil i gyfrif a chadw ei harian. Yr oedd hi a'i chenhedlaeth yn bencampwyr mewn rhifyddeg pen, a fyddai hi fawr o dro yn adio'r symiau mwyaf cymhleth. Ond ble ar wyneb y ddaear y cadwai'r arian? Nid oedd poced yn ei sgert laes nac yn siŵr yn y siôl drom a wisgai haf a gaeaf. Er hyn roedd ei harian mor ddiogel â banc Lloegr!

Byddai ganddi gwdyn o ddefnydd cryf ac arno linyn-crychu diogel. Fel pob merch o'r oes honno gwisgai staes wedi ei gordeddu'n dynn am ei chorff ac yn cyrraedd at odre'i gwddf. Rhywle rhwng ei dwyfron yr oedd agoriad yn y staes gyda charai silc i'w gau yn llipa ac yno y cadwai

Margiad y god. Fu erioed guddfan ddiogelach; gan dynned y staes doedd dim peryg i'r pwrs ddisgyn yn is na'r man y dodai Margiad Jôs ef.

Ar derfyn y farchnad a phawb yn casglu'i gêr i droi am adref, fe ddeuai cwsmeriaid eraill draw at y stondinau, yn enwedig at stondinau Gwalchmai – un Nain Siop Groeslon ac un Evan Drip. Tlodion y dref fyddai'r rhain, na allent fforddio dim bron. Byddai gan Margiad rywbeth i'r rhain hefyd – asennau moel hen ddafad denau neu hen iâr a wrthodwyd gan bawb arall.

Wedi bodloni'i chwsmeriaid âi heibio'r stondinwyr eraill i brynu basgedaid o afalau ar stondin Hoggan. Afalau i'w rhannu ac nid i'w gwerthu fyddai'r rhain. Câi plant Ysgol Sul y Bedyddwyr afal gan Nain Siop bob Sul, a deuai plant o gorlannau eraill yno weithiau hefyd – hyd yn oed o Jerusalem y Methodistiaid Calfinaidd!

Cadwai weddill yr afalau yn y siop, i'w rhannu i blant y pentref. Deil John Henry Jones i gofio ers pedwar ugain mlynedd fel yr âi i'r siop yn blentyn chwech oed, a chofia gyfarchiad Nain Siop o hyd – 'Sut wyt ti machgian i? Wyt ti'n byta'n iawn? Dos i'r fasgiad i nôl afal.' Yr oedd afal yn ffortiwn yn yr oes honno, yn ôl John Henry.

Go brin i Margiad Jôs wneud ei ffortiwn wedi ymdrechu fel bwtsieres drwy'i hoes faith. Bu fyw i weld diwygiad crefyddol, dinistr rhyfel a dirwasgiad creulon. Ond erbyn y pnawn braf hwnnw o Hydref 1941, a'r Doctor Thomas Williams yn diolch ar lan ei bedd am un a fu'n nain i bawb, yr oedd gwawr byd newydd yn torri – oes ddi-stondin a diamynedd, oes yr archfarchnadoedd.

Mewn oes felly, fe ymddengys bywyd Siop Groeslon yn un delfrydol a rhamantus iawn.

Wil a Margiad, Ty'n Pwll

Byddai'n arferiad gan drigolion ardaloedd pellennig ac anghysbell ryngbriodi – er hwylustod ac i arbed cost crwydro i chwilio am wraig – a dyna fyddai'r drefn yn Llanfair-yng-Nghornwy, yng nghornel eithaf gogledd-orllewinol yr ynys. Ond mae eithriad i bob arferiad ac un o'r eithriadau hynny oedd Wil Ty'n Pwll.

Roedd tueddiad yn Wil i fod yn wahanol. Priododd hefo Margiad, merch o Niwbwrch a hanai o deulu'r sipsiwn. Roedd ganddi (fel pob gwraig arall) ei ffaeleddau a'i rhinweddau, ac fel y digwydd yn aml, yr oedd ei ffaeleddau yn llawer iawn amlycach na'i rhinweddau!

Ddysgodd Margiad erioed gyd-fyw â phobol eraill. Gan na fyddai'r sipsiwn yn aros yn unman yn hir, doedd dim raid iddynt gyd-fyw na chyd-oddef cymdogion na chyfeillion yn hir. Tynnai Margiad rywun neu rywrai i'w phen bob dydd. Châi neb y gair olaf ac yn waeth na'r cyfan, gan ei bod o hiliogaeth y sipsiwn, medrai witsio pobol. Deuai rhywun i'r drws yn barhaus i gwyno wrth Wil am ymddygiad ei wraig.

Daeth William Pritchard, Llain Dirion, heibio i Dy'n Pwll un min hwyr, wedi cyrraedd pen ei dennyn – ac mi roedd isio cryn dipyn o helynt i William Pritchard ddod i fwcwl felly. Wedi curo'r drws cerddodd i mewn a rhoi'i ben

rownd y palis. Yr oedd Margiad Rowlands yn swatio'n
euog fel ci brathog dan y simdde, a'r ddwy cyn ddued â'i
gilydd. Anwybyddodd William Pritchard wraig y tŷ, trodd
at William Rowlands ac â chryndod yn ei lais, meddai,

'Mi fydd rhaid inni gael heddwch yn y stryd yma
William Rowlands.' Cytunodd hwnnw yn llaes â
dymuniad ei gymydog, gyda'r geiriau,

'Pan *gewch* chi beth, William Pritchard, dowch â thipyn
ohono yma. Mae gynnon ninnau isio heddwch hefyd.'

Ond roedd ochr arall i Margiad Rowlands; etifeddodd
gan ei theulu hen feddyginiaethau at bob clefyd ac âi sawl
un ati am 'ffisig Margiad'. Yn yr oes honno roedd y doctor
yn bell, ac yn ddrud tu hwnt pan ddeuai. Dywedodd un
hen gymeriad y byddai'n rhatach marw na thrio talu
doctor. (Oni fu i Richard Jones, Rhosycryman Mawr, ar ei
ffordd i Fodedern i gyrchu'r doctor at ei dad oedd yn
ddifrifol wael, droi i mewn i'r Garreg Lwyd yn Llanfaethlu
a phrynu coed arch? Ond roedd ei dad wedi troi at wella
erbyn iddo gyrraedd adref dan ei faich a bu'n rhaid iddo
guddio coed yr arch ar drawstiau'r sgubor, dros dro!)
Hawdd credu y bu gwasanaeth Margiad yn hynod o
fuddiol a defnyddiol yn yr Ardal Wyllt. Y hi hefyd oedd
bydwraig yr ardal a bu'n ddwylo llwyddiannus i ddwyn
sawl babi i'r byd.

Nodwedd arall o eiddo Margiad, fel ei thylwyth, oedd
bod yn gas ganddi unrhyw fath o swyddog. Yn hyn o beth
fe gytunai pobol Llanfair â hi gant y cant. Fyddai yna byth
groeso yn Llanfair-yng-Nghornwy i blismon, cipar na
swyddog o'r Ymddiriedolaeth. Yn wir, ni châi'r postmon
groeso gan gŵn y tyddynnod!

Erbyn diwedd dau ddegau'r ugeinfed ganrif fe roed sylw

i lanweithdra a cheid swyddogion pwrpasol i'r gwaith. Daeth un o'r rhain i Dy'n Pwll a rhoes Wil ar ddeall iddo mai Margiad fyddai'r un i ddelio â'r ochr honno i bethau ond bu un olwg ar Margiad yn ddigon i argyhoeddi'r swyddog i'r gwrthwyneb. Yr oedd yn awyddus iawn i wybod ble roedd y toiled a ddefnyddiai'r teulu. Atebodd Margiad yn gwbwl ddibetrus,

'Mae'n dibynnu'n hollol o ble y bo'r gwynt!' a bu'n rhaid i'r swyddog fodloni ar ateb pendant o'i fath.

Yn yr un cyfnod daeth presenoldeb plant yn yr ysgol yn gyfraith gwlad a cheid swyddog i ymorol y cedwid y gyfraith honno hefyd. Nid oedd presenoldeb yn yr ysgol yn un o gryfderau plant Ty'n Pwll ac, o ganlyniad, byddai raid i'r 'dyn hel plant i'r ysgol' alw yno'n gyson. Methai Margiad yn lân â gweld ei bod yn torri cyfraith o unrhyw fath wrth anfon dau o'r plant i hel priciau yng Nghoed y Caerau a'r glo mor ddrud. A beth oedd o'i le mewn anfon yr hogyn hynaf i ffureta ar ochr y Garn i gael cig at y Sul gan fod cig ffres y bwtsiar allan o bob rheswm? Ond daliai'r 'School Attendance Officer', fel y cyfeiriai ef ei hun at ei swydd, i alw yn Nhy'n Pwll yn gyson ac yr oedd Margiad wedi hen flino arno, fel y dywedodd wrtho un bore,

'Ylwch yma, Syr, rwy'n teimlo y dylwn ddweud hyn wrthych. Mae pobol y pentra yma'n siarad amdanom ni ein dau, fod yna rywbeth rhyngom ni. Mae gen i ofn yn fy nghalon i Wil y gŵr amau – duw a'ch gwaredo rhag hynny.' Roes y swyddog mo'i droed dros orddrws Ty'n Pwll wedyn.

Wrth ei grefft fel saer maen yr enillai Wil ei damaid a chyfrifid ef ymhlith un o'r seiri gorau a afaelodd mewn carreg erioed. Collodd un llygad pan ddisgynnodd wal hen simdde arno ac aeth calch llychlyd i mewn iddi. Ond, trwy ymdrechion gwiw Robert Ellis y sgŵl, llwyddwyd i gael gwrandawiad am iawndal iddo yn Llys Biwmares ac enillodd yr achos a derbyn canpunt o iawn. Tipyn o bluen yn het Robert Ellis. Tybed ai dyma'r achos cyntaf o'i fath ym Môn?

Ar eu ffordd gartref yn y trên bu Robert Ellis yn ddyfal yn ceisio perswadio Wil Ty'n Pwll i fuddsoddi'r arian yn y banc, oedd yn dechrau dod i fri bryd hynny.

'Mi rydw i'n synnu atoch chi o bawb, Mr Ellis, am i mi roi'r pres yn y banc,' meddai Wil. 'Tydach chi ddim yn meddwl fod gan y rheiny ddigon?' Bu pobol Môn yn fwy cyndyn na neb i fentro'u harian i ofal y banc; roedden nhw'n llawer diogelach dan y fatres yn y llofft gefn!

Er iddo golli llygad fe ddaliodd Wil wrth ei waith fel saer maen a byddai galw cyson arno gan ei fod mor grefftus. Bu Siôn Hughes, y Minffordd, ac yntau'n codi tŷ helaeth ar gwr y pentref. Yr oedd Siôn Hughes yn fonheddwr tawel na chlywid llw o'i enau, tra oedd geirfa Wil yn frith o lwon ar brydiau. Ar un o'r achlysuron rheglyd hynny troes Siôn at ei gyfaill a'i rybuddio,

'Taw, Wil bach, neu chei di mo fy nghwmni i'r ochr draw.'

'Fydd hynny'n fawr o golled i mi,' meddai Wil. 'Tydi dy gwmni di ddim yn ddymunol *yma*, heb sôn am dreulio tragwyddoldeb hefo chdi!'

Bu hefyd yn cydweithio hefo Siôn Thomas, yr Erw Rys, hwnnw hefyd yn saer gwych. Wrth gael tamaid ganol dydd hefo'i gilydd sylwodd Wil fod brechdanau Siôn Thomas yn llawn o ryw ddeiliach gwyrddion. Yr oedd letys a llysiau yn dod yn boblogaidd gan rai, ond doedd y werin ddim wedi cymryd at yr arfer. Troes Wil at ei gydweithiwr, ac yn giamllyd braidd meddai,

'Fasa dim gwell iti fynd i bori ar y cae yna?' Yr oedd hyn eto yn nodweddiadol iawn o bobol Llanfair – roeddent yn hynod geidwadol yn eu bwyd a'u harferion. Oni ddywedodd Dr John Williams, Brynsiencyn, mai yma ar lethrau Mynydd y Garn y seinir aceñion olaf yr iaith Gymraeg? Fe wyddai ef yn iawn mai nodwedd yr ardal hon oedd cadw a diogelu pob arfer a defod.

Dyna pam, debyg, y parhawyd i gynnal Cwrdd Gweddi yn Llanfair-yng-Nghornwy wedi i'r arfer beidio ym mhob rhan arall o Fôn. Fe'u cynhelid ar adegau o sychder neu wlybaniaeth mawr, fel na ellid hau na chynaeafu'r cropiau. Galwyd cwrdd gweddi felly yn Salem rhyw wanwyn gwlyb dychrynllyd a rwystrodd bawb i dorri cŵys, heb sôn am hau dim. Cyrchai'r bobl i Salem ar noson waith yn eu dillad dydd Sul a byddai'r oedfaon yn fwy poblogaidd na dydd Diolchgarwch hyd yn oed. Âi pob pharisead a phechadur i'r cyrddau. Pawb ond Wil Ty'n Pwll, a safai yn ei ddillad gwaith i godi sgwrs hefo'r duwiolion,

'Wyt ti ddim yn dŵad, Wil?' gofynnodd un pharisead mawr.

'Na,' meddai Wil, 'pa iws ichi ofyn am sychder, a'r gwynt yn nhwll y glaw? Chwara teg, does dim isio ichi fod yn *rhy* "hafing" hefo'r Bod Mawr.'

Ond os nad ymunodd Wil yn y gweddïo yn Salem, manteisiai ar bob cyfle a gâi i ymarfer ei grefft ar waliau'r persondy. Sylweddolodd y Canon Foulkes-Jones – gŵr ecsentrig, gwahanol i bawb – fod gan Wil gymhwyster arbennig i drin cerrig, a galwai arno'n gyson. Daeth ato ryw ganol bore rhewllyd oer, a Wil druan yn nannedd y dwyrain. Yn sbecian o boced top côt y Canon roedd potel fawr, a gwydryn bach rhwng bys a bawd ei law dde. Cyfarchodd Wil yn iaith Trefaldwyn, clytiau o Saesneg ac acen Rhydychen,

'Basa ti lecio rhwbach i dy warm you up, Willie?'

Atebodd Wil, cyn codi ei ben, yn iaith Sir Fôn,

'Diolch yn fawr, Can . . . , Syr' – ac yfodd y gwydryn o wisgi heb ei lastwreiddio.

Yn ei syndod, gofynnodd y Canon wedyn,

'Cymeri di tipyn bach – just a drop eto, Wil?' A rhag iddo wagio'r botel, dyma'r person yn sibrwd wrth y waliwr,

'It could be a nail in your coffin, man.'

'Wel,' meddai Wil, 'gan fod y tŵls yn eich llaw, tarwch hoelan arall.'

Bu Wil yn gryn gyfaill i'r Parch. Lambert Jones a ddaeth i'r Santes Fair yn ddiweddarach. Er mwyn hwyluso'i waith yn y plwyf gwasgarog ac anghysbell, fe brynodd hwnnw foto-beic ail-law gan Doctor Edwards, Bodedern. Yr oedd un gwendid anffodus yn y moto-beic – byddai'n gyndyn ddychrynllyd o danio – rheswm da dros ei werthu. Gwelid y person a'r moto-beic yn cyd-gerdded yn llafurus hyd ffyrdd y plwyf ac ar un o'r amgylchiadau hyn cyfarfu â Wil, a holodd yn obeithiol,

'Ydach chi'n deall rhywbeth am foto-beic, William Rowlands?'

'Mi ddweda i wrtho chi beth fyddai'r doctor yn ei wneud pan fyddai'r moto-beic wedi nogio fel hyn – mi fyddai'n cicdanio am bwl ac yna rhegi am bwl, a chydrhwng y cicio a'r rhegi mi fyddai'n siŵr o danio,' meddai Wil.

Safai'r gŵr parchedig yn fud, ond cyn pen dim fe ddaeth gwawr.

'Os leciwch chi,' medda Wil yn gymwynasgar, 'ciciwch chi ac mi rega inna!'

Hugh Jones, y Simdda Wen

Fydd pobol Ynys Môn byth yn gwneud drama o'u gwleidyddiaeth, nac ychwaith yn cyhoeddi o bennau'r tai i ba blaid y perthynant. Mae honno'n gyfrinach i'w chadw a'i chuddio i lawer – fel eu hoedran ar ôl pasio pump ar hugain.

Ond yn sicr, nid un felly oedd Hugh Jones, y Simdda Wen. Mynnai Hugh gael gwleidyddiaeth i bob pryd ac os câi ei ffordd, dyna fyddai testun pob sgwrs o'i eiddo. I wneud pethau'n waeth perthynai Hugh Jones i blaid a oedd yn anathema gan bawb; yr oedd Hugh yn gomiwnydd rhonc. Yr oedd hynny bron yn gyfystyr â'ch bod yn dioddef o'r gwahanglwyf neu'r frech ysgarlad.

Ymffrostiai'r hen Simdda Wen ei fod yn ddisgybl i Mao Tse-tung, arweinydd comiwnyddol Tseina fawr. Tra glynai plwyfolion Llanfechell wrth Feibl William Morgan, y Llyfr Bach Coch oedd beibl Hugh Jones. Yn naturiol ddigon, nid oedd yn ffitio yn y gymdeithas fach glòs yng nghwr eithaf Ynys Môn ar ddiwedd yr Ail Ryfel Byd. Codai'r tyddynnwr hwn yn fore, fore i wrando ar y newyddion o Rwsia; wedi'r cwbwl, hon oedd gwlad yr addewid iddo. Yna fe ledaenai'r newyddion i bobol y gymdogaeth, gan honni mai ganddo ef yr oedd y gwirionedd tra câi pawb arall eu bwydo â chyfalafiaeth gelwyddog Prydain ac America.

Ond er mor wahanol oedd Hugh, a'i fod yn 'hen gomiwnydd', eto yr oedd pawb yn hoff ohono a llawer un, yn ddistaw bach, yn edmygu'i safiad unig. Yr oedd golwg sarrug a chuchiog arno ond fe ddiflannai pob amheuaeth pan lefarai gyda llais meddal a thyner, oedd yn croesddweud y wedd a'r llygaid. Fyddai o byth yn codi'i lais er bod cymaint o bethau yn ei gynhyrfu; siaradai'n araf a thawel gan orbwysleisio geiriau bach cyffredin a'u troi'n anghyffredin.

Ond pam comiwnydd? Gwyddom y bu i weithiau Mao ddylanwadu'n chwyldroadol ar feddyliau pobol drwy'r byd ond sut y daeth y fath ddylanwad i ardal y Simdda Wen? Mynnai Hugh nad oedd ganddo ddewis ond bod yn gomiwnydd. Fe'i magwyd yn un o elusendai'r pentref yn un o deuluoedd tlotaf y fro. Aeth i'r ysgol yn saith oed ac oddi yno, wedi tymor byr, anfonwyd ef i'r cae rwdins, tra aeth ei gyfaill o ysgol y pentref i'r Cownti Sgŵl yn Llangefni, 'er fy mod yn well sgolor o lawer na fo,' meddai.

Heb os dyna ddechrau hau'r had. O'r cae rwdins hwnnw rhyw symud o fferm i fferm fu hanes Hugh Jones, ac yna symud dros Glawdd Offa i geisio gwell byd. Treuliodd flynyddoedd yn y rhyfel yn rhyw fath o *rough-rider* yn dal a thorri i mewn geffylau didoriad i gario sieliau i flaen y gad. Ond ni lwyddodd neb na dim i newid y gwerinwr a oedd ynddo, nac ychwaith i'w berswadio i newid ei athroniaeth am fywyd. Daeth gartref i Lanfechell yn gymaint, os nad yn fwy, o gomiwnydd nag erioed.

Cartrefodd ef a'i briod yn y Simdda Wen, a daeth eu haelwyd yn ddynfa boblogaidd i bobol y fro. Yr oedd y tyddynnwr yn gymeriad mor wreiddiol a gwahanol a synnent at ei sylwadau pert a hengall. Yr oedd ganddo ffordd unigryw o ddisgrifio pethau cyffredin bywyd mewn modd anghyffredin. Sylwodd cymydog ei fod wedi modrwyo'r moch yn giaidd,

'Mi rydach chi wedi bod yn giaidd hefo trwyna'r moch, Hugh,' meddai.

'Do,' atebodd Hugh Jones, 'hyd eitha'r gyfraith a dim pellach!'

Galwodd yr un cymydog arno i ddod draw i weld cwlin o hwch ganddo gyda golwg ar ei phrynu. Bu'r ddau'n syllu'n hir ar yr hwch a neb yn dweud gair. Meddai'r cymydog yn y diwedd,

'Ydach chi ffansi'r hwch fach wen, Hugh?'

Daliai Hugh i graffu. 'Aros di, Evan,' meddai toc, 'nid hwch fach wen sydd gen ti, ond hwch wen fach, a chofia di mae yna dipyn o wahaniaeth rhwng y ddwy.'

Un bore Sadwrn, ar ei ffordd o'r pentref, sylwodd Richard Jôs y Sgŵl fod Hugh Jones, Simdda Wen, yn pwyso ar wal y fynwent. Pan oedd yn dychwelyd adref roedd Hugh yn yr union fan o hyd, a'i feic ar bwys y wal. Tybiai'r Sgŵl yn siŵr fod rhyw gam-hwyl arno ac aeth draw, mor ddidaro ag y medrai.

'Oes hwyliau, Hugh Jones?' gofynnodd.

Atebodd Simdda Wen heb gymaint â throi at ei gyfaill,

'Mi rydw i'n llawer iawn gwell na'r rhain sy'n gorwedd yn fama – a diolch yn fawr ichi am ofyn, Mr Jôs.'

Fel comiwnydd, fyddai Hugh Jones byth yn mynychu llan na chapel ar y Sul ond bu'n ffyddlon iawn i ddosbarth-iadau nos. Bu'n aset gwerthfawr i Gymdeithas Addysg y Gweithwyr ac nid oedd ei debyg mewn trafodaeth a dadl.

Honnai fod delfrydau Comiwnyddiaeth yn fwy Cristnogol o lawer nag unrhyw blaid neu enwad crefyddol arall, a dadleuai fod y system gomiwnyddol yn llawer mwy cyfiawn a theg nac unrhyw system arall, ar gyfrif ei chydraddoldeb a'i brawdgarwch.

'Pa lesâd,' gofynnai, 'i Brydain a'r Mericans gynorthwyo gwledydd tlawd y byd, yn unig er mwyn ennill eu ffafr i gael safle milwrol ar eu tir? Ac mae'r Catholics yma'r un fath; y rheiny'n garedig tuag at y tlodion ddim ond er mwyn sefydlu awdurdod y Pab a'i Babyddiaeth gul mewn gwledydd comiwnyddol.' Yn ôl Hugh, mi fyddai'n harddach iddyn nhw addysgu'r tlodion am atal cenhedlu. Y comiwnydd gâi'r gair olaf ym mhob dadl bron!

Yn haf '69 daeth neges i bob Cyngor Plwyf drwy'r wlad i baratoi ar gyfer dathlu'r Arwisgiad. Bu cryn drafod a dadlau ynglŷn â'r mater ym mhlwyf Llanfechell a phenderfynwyd o'r diwedd i roi te parti i'r pensiynwyr, gyda phlant yr ysgol i'w diddori. Codwyd pwyllgor i drefnu'r achlysur a daeth dwy wraig o'r pwyllgor hwnnw i'r Simdda Wen i hysbysu Hugh Jones o'r trefniadau. Yn ôl Hugh yr oedd y ddwy yn 'very nice ladies'. Aeth o'i ffordd i sicrhau nad oedd ganddo ddim yn erbyn y ddwy a chawsant bob croeso ar ei aelwyd. Wedi eistedd dechreuodd un ohonynt ar ei neges.

'Mae yna ddewis ichi, Mr Jones. Fe ddown ni yma i'ch nôl chi neu mi ddown â'r te . . . ,' meddai. Ar hyn dyma Hugh yn rhoi tro yn ei gadair, ac yn codi ei fraich i roi taw arni.

'Cyn ichi fynd dim pellach, mae'n bwysig ichi ddeall 'mod i'n Anti-Royalist, yn Anti-Investiture ac yn anti lot o bethau eraill. Ylwch, welwch chi mohona i ar gyfyl y te parti. Mi ofynnodd dyn o'r ardal yma i mi beth oeddwn i yn ei feddwl o'r Arwisgiad ac mi atebais ar ei ben – cythral o ddim. Mi droes ata i â dirmyg yn ei lais, "Rhag ych cwilydd chi Hugh Jones, a'r Prins wedi dysgu'n hiaith ni." Mi drois i ato a deud wrtho y baswn innau'n dysgu *French* pe cawn i Ffrainc am wneud!'

Aeth y ddwy *nice lady* i'w taith a phregeth Simdda Wen wedi oeri cryn dipyn ar eu cenhadaeth.

Gyda'r blynyddoedd, llesgaodd iechyd Hugh Jones ac roedd yn awyddus iawn i roi trefn ar ei bethau, ac yr oedd ei gladdedigaeth yn rhan bwysig o'r trefniant hwnnw. Ar nos Wener wlyb dymhestlog galwodd heibio i Mr Jôs y Sgŵl, yn taer erfyn arno ddod i fynwent Ebeneser.

'Wel dim heno yn y fath dywydd, Hugh Jones bach!' meddai'r ysgolfeistr o'i githwal glyd. Daeth ateb Hugh Jones o dan ei gôt drom, a oedd dros ei ben,

'Heno plis, Mr Jôs!' (Fe ddylid egluro fod si ar led yn yr ardal fod yr Annibynwyr i gyfarfod y nos Sul ganlynol i drafod codi prisiau'r beddi, a Richard Jones y Sgŵl oedd ysgrifennydd y pwyllgor.)

Cerddodd y ddau drwy'r glaw i'r fynwent yng ngolau fflachlamp egwan. Buont yn tindroi rhwng y beddau yn chwilio am lecyn addas i gladdu Hugh Jones, a chan ei bod hi'n nos Wener a'r pwyllgor nos Sul roedd hi'n bwysig iawn i bwrcasu bedd y noson honno. Ond yr oedd Hugh yn eitha siŵr nad oedd am gael ei gladdu wrth ochr *rhai*.

'Does gen i ddim isio gorwedd am dragwyddoldeb wrth ochr rhywun na fedra i ddim byw hefo nhw ar y ddaear,' meddai o ddifrif. Yn sydyn galwodd yn uchel o blith y beddau,

'Yn fama, plis, Mr Jôs,' a darllenodd yr arysgrifen ar y

garreg – 'John Thomas, Grammar School, Stourbridge. Wrth ochr y dyn dysgedig yma ar fy nehau law y bydd fy medd i, Mr Jôs,' meddai. 'Mi dala i rŵan plis, Mr Jôs – yr hen bris, debyg; mi wnaiff y rysáit yn iawn yfory, Mr Jôs!' Cytunwyd ar y pris ac aeth yn ôl i'w dŷ yn llawen.

Noson neu ddwy wedi pwrcasu'r bedd cafodd Richard Jones ac Evan Parry, Penybont, alwad i'r Simdda Wen i drefnu angladd y tyddynnwr. Rhoed dalen o bapur a beiro i Evan Parry i nodi'r trefniadau,

'Wyt ti'n barod, Evan?' meddai Hugh. 'Dim mynd i gapal o gwbwl; rho fo i lawr, Evan, a dim ffys cofia. Fydd dim isio'r hers ddod at y tŷ yma i ddychryn yr ieir a'r cathod wrth dindroi mewn lle mor gyfyng. Mi rydw i isio mynd yn syth o'r tŷ yma i'r twll ym mynwent Ebeneser – i'r bedd yr ydw i wedi talu amdano ac wedi ddewis. Roist ti'r cwbwl yna i lawr, Evan? Mi awn ni ymlaen i ddewis cariwrs – *bearers* ydi'r enw iawn arnyn nhw. Mi rydw i wedi meddwl am bedwar dyn abal – Arthur Bronmynydd, Arthur y Gromlech, Arthur Stones ac Idwal Tŷ Capal, ac mi fydd hi'n well inni gael Evan Penybont – y chdi, Evan, fel *stand by*. Gofynnwch i'r Parchedig Smith o'r Benllach i fod mor fyr ag y medar o.'

Bu farw Hugh Jones yn Chwefror 1973 ac fe'i claddwyd yn y bedd a bwrcasodd yn y gwynt a'r glaw, cyn i'r prisiau godi. Y mae'r ysgolhaig o Stourbridge ar ei ddeheulaw ond trwy ryw amryfusedd anffodus, bedd Hugh Jones y Sarn sydd ar yr aswy iddo. Fu'r ddau Hugh erioed yn ffrindia; yn un peth roedd yr Hugh Jones yma'n Gynghorydd, a chynghorwyr oedd pennaf elynion Simdda Wen.

Mi fydd yna dipyn o rycsions ym mynwent Ebeneser

ryw fore Gwener, pan genfydd y Comiwnydd iddo orwedd
wrth ochr *Cynghorydd* mor hir!

Robin Joci

Cyn i'r milfeddyg ddod i fri fe amrywiai swydd y 'joci' gryn dipyn – o dorri ceffylau, eu prynu a'u gwerthu a hefyd eu marchogaeth mewn sioe, a byddai hefyd yn dipyn o ffariar gwlad. Yr oedd iddo safle pwysig iawn yn dysgu a dofi ceffylau a gwarantu eu bod yn gyfrifol a hwylus ym mhob gwaith. Ar gyfrif ei wasanaeth proffesiynol fe hawliai'r joci safle cyfuwch â neb yn hierarchaeth y stabal ers talwm.

Robert Jones o Drefdraeth, neu Robin Joci fel y'i gelwid ar lafar gwlad, fyddai joci swyddogol de-orllewin Môn, ardal nodedig am ei cheffylau yn nhiriogaeth un o stadau mwyaf y sir – stad Bodorgan. O ochr ei fam, Elin Thomas, fe hanai Robin yn uniongyrchol o linach Meddyg Esgyrn Môn. Ei daid oedd yr enwog Richard Evans, Cilmaenan, Llanfaethlu, ac fe etifeddodd Robin ddoniau a rhai o gyfrinachau meddyginiaethol ei hynafiaid.

Dilynodd ei dad fel joci swyddogol yr ardal, ond gan ei fod yn gymeriad mor amryddawn ac yn dipyn o 'Siôn bob swydd', bu Robin yn troi ei law at sawl swydd yn ei ddyddiau cynnar cyn setlo i lawr fel joci. Gan ei fod yn byw yn Nhy'n Llan, ei dad fyddai'n torri beddau yn y plwyf. Ymddiddorai Robin yn y fynwent hefyd a bu'n helpu'i dad â gwaith y clochydd. Gan fod mynwent Trefdraeth yn hynod o gleiog a gwlyb yr oedd agor bedd yn waith caled iawn a chan ei fod yn adnabod tirwedd y fynwent mor dda dywedodd Robin wrth Annie, ei ferch, ychydig cyn ei farw,

'Cofia beidio 'nghladdu yn rhy ddyfn ym mynwent Trefdraeth 'na.'

Bu'n gweithio yng ngwaith glo Morfa Malltraeth hefyd, yn cario glo o'r pwll i dai'r ardal. Cariai'r glo mewn basgedi ar gefn mul a golygfa smala fyddai gweld y joci'n gyrru mulod! Adroddai storïau llawn rhamant am weithwyr yn mynd i lawr y siafftiau mewn basgedi mawr wrth raffau, a chofiai ddamweiniau erchyll pan dorrai'r rhaff a'r glowyr druan yn disgyn i ddifancoll.

Ond joci oedd Robin yn anad dim, o ran greddf a dawn, a daeth yn olynydd teilwng i'w dad, Robert Jones, Ty'n Llan. Er mai dyn bychan o gorffolaeth oedd, eto fe allai drin a thrafod ceffylau gwedd mawr yn ogystal â phob gradd a maint o geffyl main a mulod. Wnaeth yr un ceffyl erioed fistar ar Robin Joci.

Cyflogid ef gan deulu'r Meyricks i farchogaeth ac i ddangos yn y Dublin Horse Show. Diflannai am wythnosau ar adegau felly ac ni wyddai Mary, ei wraig druan, ble yr oedd o – yn wir, a oedd o'n fyw ai peidio! Ei wendid pennaf oedd y ddiod. Enillai gyflog ond gwariai'r cwbwl ar ddiod gan adael ei deulu o chwech o blant mewn angen.

Byddai'n rhan o waith y joci i blethu a thrimio'r ceffylau ar gyfer sioeau ac ar gyfer eu gwerthu. Un tro, wedi cerdded stalwyn o Sir Fôn i Sioe Caernarfon a chael diwrnod da yno, daeth yn amser i droi am adref. Tra oedd y dyrfa'n edmygu'r stalwyn yn ymdaith yn urddasol drwy strydoedd yr hen dref yn ei drimins lliwgar, fe sylwodd un o'r heddlu ar y joci a'i dywysai. Erbyn hyn yr oedd yn bur feddw a'r stalwyn yn flinedig a chafwyd nad oedd Robin yn gymwys o gwbwl i dywys stalwyn drosodd i Fôn. Fe'i carcharwyd a stablwyd y stalwyn yn nhref y castell dros nos, heb roi prawf anadl i'r un o'r ddau.

Ond nid joci yn unig oedd Robin; yr oedd ynddo lawer iawn o'r hen ffariar gwlad a medrai adnabod anhwylder ar anifail yn well na neb. Etifeddodd law a llygaid a dawn ryfeddol y meddyg esgyrn yn fwy na neb arall o'r teulu ac, yn naturiol, byddai galw cyson am ei wasanaeth fel ffariar i ffermydd yr ardal. Yn yr oes honno roedd ceffylau cyn bwysiced â phobol ac o ganlyniad roedd y ffariar mor werthfawr â'r doctor i'r gymdeithas.

Yr oedd Doctor Williams, Parc Glas, yn adnabyddus drwy'r sir, nid yn unig fel meddyg dawnus ond fel cymeriad lliwgar a phoblogaidd a chydweithiai'r meddyg a'r ffariar yn glòs â'i gilydd yn yr un cylch yn Nhrefdraeth. Un min hwyr daeth galwad frys i Robin gan Doctor Williams; yr oedd merlyn y meddyg yn beryglus o wael. Ar ôl iddo gyrraedd a chael trafodaeth yn y tŷ uwch gwydraid o ddiod aethant am y stabal. Nid oedd angen ffariar i ddweud fod yr anifail yn diodde'n enbyd gan boenau yng nghyffiniau ei stumog. Troes Robin at y meddyg,

'Pe bawn i'n dŵad i'r syrjeri atoch chi yn cwyno hefo cythral o boen yn fy mol, be fasach chi'n roi imi, doctor?'

'Potal sbesial o ffisig,' meddai Dr Williams.

'Ylwch,' meddai Robin, 'ewch am y syrjeri nerth eich traed a gwnewch botelaid, ond gwnewch hi bum gwaith cryfach!'

Ufuddhaodd y doctor ac erbyn trannoeth roedd y merlyn ac yntau'n gwibio trwy Drefdraeth yn ôl eu harfer. Gair y doctor wrth bawb y dyddiau hynny oedd,

'Wyddoch chi be? John Williams, Brynsiencyn a Robin Joci ydi'r ddau ddyn clyfra ar Ynys Môn!'

Yr oedd Robin a'r Prifardd Tom Parri Jones, Tŷ Pigyn, Malltraeth, yn dipyn o fêts. Gwerthfawrogai Robin ddawn y bardd a synnai'r prifardd at ei allu yntau, yn enwedig ym myd natur. Bu Tom yn orweiddiog yn hir yn y tridegau, oherwydd y clefyd poliomyelitis, a fyddai neb tebyg i Robin Joci am godi'i galon pan alwai yn ei dro i dorri ceffyl gwedd neu i roi sylw i anifail arall. Ar un o'r achlysuron hyn, a Robin wedi'i alw at y gaseg, ymdrechodd Tom i godi ac agor ffenestr y siambar i gael gair hefo fo,

'Mae'r gasag yn rhwym ers wythnos, mi rydan ni wedi trio pob peth iddi, gan gynnwys ymweliad y milfeddyg o Fodrwnsiwn.'

Aeth Robin draw at y stabal, rhoes dro sydyn a galwodd ar ei gyfaill i'w sicrhau y doi'n ôl fore trannoeth i setlo'r hen hogan.

Cyn dydd trannoeth yr oedd Robin ar ei ffordd yn ôl i stabal Tŷ Pigyn. Sylwodd y prifardd, rhwng cwsg ac effro, fod ganddo wn dwy faril dan ei ysgwydd. Ofnodd y gwaethaf, ond tra bu'n hercian i agor ei ffenestr yr oedd Robin wedi diflannu'n llechwraidd i gyfeiriad y stabal. Cyn iddo gyrraedd yn ôl i'w wely clywodd ddwy ergyd yn diasbedain trwy dawelwch Malltraeth. Tra'n dyfalu'n boenus beth ddigwyddodd, daeth wyneb Robin Joci i'r ffenestr, a chyda gwên lydan cyhoeddodd,

'Mae hi wedi cael rhyddhad – gall sioc i'r cyfansoddiad wneud gwyrthiau,' a diflannodd ar ei daith.

Cymeriad lliwgar arall o'r ardal oedd Jac Wales, ac fel y gallesid disgwyl yr oedd Robin ac yntau'n gyfeillion. Enillodd Jac ei deitl oherwydd ei orchestion yn codi pwysau a magodd gyhyrau anghyffredin. Ond nid oherwydd y gorchestion hyn y cyfeillachai Robin ag ef. Yr oedd Jac Wales yn ddyn milgi a welid byth y naill heb y llall.

Cyfarfu'r ddau tra oedd Jac yn cerdded y milgi heibio Cefn Crin, cartref Robin. Cwynai Jac fod y milgi'n hollol ddall ac eglurodd ei fod wedi trio pob meddyginiaeth a thalu i filfeddyg ei weld, ond chafwyd dim hwyl ar adfer ei olwg. Cytunodd Robin i gael golwg arno ac adnabu'r dolur ar ei union. Yn ôl ei arfer gofynnodd i Jac alw drannoeth gan ddweud y byddai ganddo eli'n barod erbyn hynny. O'i weld yn mynd am y sgubor aeth Jac ar ei ôl yn llechwraidd i sbecian trwy dwll y clo a gwelodd Robin yn paratoi'r presgripsiwn. Châi neb weld y meddyg esgyrn yn darparu meddyginiaeth!

Er ei syndod, gwelodd Jac Wales Robin yn malu potel wydr yn bowdwr ar fwrdd o garreg, yna'i gymysgu hefo lard. Bore trannoeth rhoes orchymyn i Jac iro llygaid y milgi â'r eli, a dal i wneud nes gorffen y potyn. Cafodd y milgi ei olwg yn ôl yn berffaith, wedi proses digon poenus; fe godwyd y blisgen oddi ar lygaid y ci gan mor arw oedd llwch y gwydr.

Ond heb os, un o orchestion pennaf y ffariar gwlad oedd ei eli at y crwn neu'r drywingen a deuai pobol o bell ac agos i Gefn Crin i nôl yr eli. Mae'n debyg mai ar gyfer anifeiliaid y paratowyd ef yn wreiddiol ond medrai Robin ei addasu ar gyfer pobol. Cyflwynwyd y rysáit i'w blant ac fe ddefnyddiwyd y feddyginiaeth hynod lwyddiannus yn gymharol ddiweddar.

Honnai Robin fod meddyginiaeth i bob clwy yn y llysiau a'r planhigion a blannodd ei gyndadau yng nghylch Ty'n

Llan. Yr oedd yn llysieuwr gwybodus ac yn naturiaethwr craff. Rhybuddiai na ddylai neb dynnu caws llyffant o'r gwraidd; yn hytrach dylid torri'r coesyn â chyllell at i lawr er mwyn iddo ail dyfu. Fe dyfodd goed ffrwythau Cefn Crin i gyd o doriadau ac y maen nhw yno o hyd – yn afalau, eirin a chwsberis – a gallai enwi'r blodau a'r planhigion gwyllt i gyd, a hynny yn Gymraeg! Bu'r ficer, Dr Owen, a Robin yn ddyfal yn plannu ugeiniau o gennin Pedr ym mynwent Eglwys Trefdraeth, ac mae'n amlwg eu bod yn dal i ddodwy yno.

Yr oedd yn eglwyswr selog iawn ac yn Dori rhonc, ac er mai Ysgol Genedlaethol Bethel fu'r unig addysg ffurfiol a gafodd, eto darllenai'r *Sunday Times* rhwng gwasanaethau'r Eglwys a phorai ynddo am weddill yr wythnos.

Mae stori am Robin, pan oedd yn blentyn, yn gwneud model o'r eglwys o dail ceffylau, a honno'n dipyn o gampwaith. Pan welodd y person y model, holodd y plentyn,

'Model o beth yw hon, Robin?'

'Model o eglwys, Syr,' meddai Robin, yn llawn balchder.

Chwenychai'r person barhau â'r sgwrs ac meddai, 'Ond ble mae'r person, machgen i?'

'Doedd gen i ddim digon o dail i wneud hwnnw!' meddai Robin yn reit ddiniwed.

Mae yn yr ardal rai sy'n dal i gofio Robin Joci gydag anwyldeb – y dyn bychan a ffon yn ei law chwith bob amser. Fe gofiant hefyd mai'r un ateb fyddai gan yr hen bererin i bawb a holai sut y byddai,

> 'Pen yn poethi, traed yn oeri,
> Dyna gwynion Robin Joci.'

Bob a Nel Carmel

Yn ôl f'addewid, mi alwais i weld Nel Carmel well na phythefnos wedi claddu Bob, ei brawd. Yr oedd y drws ffrynt yn llydan agored yn ôl arfer cefn gwlad yn yr oes honno, ond yr oedd y drws canol ar gau ac er ei fod yn llawn panelau gwydr niwlog nid oedd modd gweld trwyddo. Ar bostyn solad y grisiau roedd helmed plismon wedi'i gosod a disgleiriai'r bathodyn arian ar ei blaen yng ngolau llafn o'r haul a sbeciai drwy'r drws, ac ar y llawr roedd dysgl fechan wen ac arni'r geiriau 'Dog'. Dau beth newydd ac mor wahanol yng nghyntedd Tan y Bryn, dyfalwn. Agorais y drws canol a galw, yn dawelach nag arfer,

'Oes 'ma bobol?' Daeth ateb mewn tôn wahanol,

'Tyd i mewn a chau'r drws canol yna. Mae yna ryw hen gath fach dan y dresal ers neithiwr.'

Gwyddwn fy ffordd i'r gegin fach yn y cefn; yno yr oedd Nel wedi cyrlio fel neidr ar gadair fawr flêr, wrth danllwyth o dân.

'Ista, lle gweli di le. Mae'r hen gathod diawl yma ar bob cadair a nyth.'

Roedd y gegin fach mor anniben a llawn ag y bu erioed ac eto, rhywfodd, roedd hi mor wag. Doedd Bob ddim yno.

'Nefoedd yr adar, mae 'ma le rhyfadd,' meddai Nel, yn datod ei chorff hir o'r nyth. 'Mae hi mor ddistaw yma.' Dyn distaw iawn oedd Bob, rhyw fath o garreg ateb i Nel gael esgus i siarad. Bellach doedd yna neb i wrando arni.

'Oes yma blisman yn lojio?' holais yn betrus, a chyn cael ateb holais eto, 'Oes yma ryw ffansi dog – gweld desgil bach posh tua'r drws yna?'

Daeth gwên i wyneb Nel,

'Mi gest titha dy dwyllo. Go dda,' meddai, a thipyn o'r Nel go iawn yn dod i'r golwg. 'Na, fi rhoes nhw yn y golwg er mwyn i'r hen blant diawl 'na gadw draw.'

Brawd a chwaer oedd Bob a Nel Owen, Tan y Bryn, gwehelyth un o hen deuluoedd enwocaf Carmel, os nad un o deuluoedd enwocaf Môn. Yr oedd Thomas Owen, eu taid, yn saer dodrefn, yr erys ei waith o hyd. Ni flinai Nel ar atgoffa pob pagan a sant yn y cyffiniau mai ei thaid a adeiladodd gapel Carmel am gostau'r defnyddiau yn unig. Bu hon yn ergyd effeithiol i Nel mewn ambell bwyllgor anhwylus tua'r capel. Yr oedd Owen Owen, eu tad, yn bensaer o radd uchel a'i frawd, Trevor Owen, oedd prifathro cyntaf Ysgol Syr Hugh Owen, Caernarfon – ysgolor graddedig o Brifysgol Caergrawnt.

Ac fel yn hanes Timotheus yr oedd dawn y teulu yn amlwg yn Bob a Nel. Doedd gan Bob ddim i'w ddweud wrth addysg ffurfiol. Methai'n lân ulw, fel llawer arall bryd hynny, â chysylltu addysg â'r ysfa ingol a oedd ynddo i fod yn ddreifar trên. Go brin i Bob ddarllen llyfr erioed ond mi fedrai ddarllen micromedr a fesurai dwll silindr a gallai drafod yr offeryn manylaf ynglŷn â mesur mewn peirianneg. Nid oedd ei debyg chwaith am ddefnyddio turn a'r holl dŵls ynglŷn â'r grefft gywrain honno. Yr oedd yn un o beirianwyr a dyfeiswyr mwyaf medrus a chreadigol y deyrnas. Enillodd yr anrhydedd brin honno, i leygwr, sef ei dderbyn yn Aelod o Sefydliad y Patentwyr.

Un o'i greadigaethau mwyaf nodedig fu ei arddangosfa o gelfi iard fferm mewn efydd, sydd bellach yn yr Amgueddfa Genedlaethol yn Sain Ffagan. Fe gynnwys yr arddangosfa 287 o ddarnau mewn efydd, alwminiwm a chopr, gyda modelau'n gweithio'n berffaith. Mae ynddi fodel o beiriant stêm yn gweithio hefo nwy, injan sgrapio, injan tsiaffio, belar, caniau a photeli llefrith a chant a mil o bethau eraill. Maent yn berffaith ym mhob manylyn bach. Bu'r arddangosfa yn dynfa i bobol o bell ac agos, ac ymhyfrydai Nel yn y Llyfr Ymwelwyr a gynhwysai enwau o'r Almaen, yr Eidal ac Awstralia ac a gedwid wrth gyntedd Tan y Bryn.

Ond nid er mwyn arddangos ei ddawn a'i ddyfeis-garwch, ac yn sicr nid er clod iddo'i hun, y dyfeisiai Bob. Fe glymai ddyfais â thosturi er mwyn helpu'r cloff a'r anabl. Mewn un ddyfais arbennig iawn o'i eiddo, fe roes Bob olwynion i faglau a bu 'The Owen Walking Trimmer' yn fendith i lawer. Bu ei lif gadwyn a osododd ar din tractor yn hynod boblogaidd a chymerodd coedwigwyr o Seland Newydd gryn ddiddordeb ynddi.

Yr oedd Bob yn fecanig tan gamp ar bob math o injans yn ogystal. Câi alwad weithiau i drin anhwylder ar injan un o longau Caergybi, a chludid ef allan i'r môr. Yr oedd ganddo glust ddigon tenau i diwnio ac i adnabod anhwylder mewn injan. Cerddodd ei enw yn eang a phell a deuai pobol o bob man i gael clust y peiriannydd o Garmel.

Eto ni fynnai unrhyw sylw na bri am ei gampweithiau. Fe adlewyrchid hyn yn y garej fechan ar bwys y tŷ lle byddai'n creu ei orchestion. Fe allech fynd heibio ar y ffordd o Lannerch-y-medd i Garmel heb sylwi fod dim o bwys yno. Yr unig beth i dynnu'ch sylw oedd placard ar dalcen y garej o faint olwyn beic, ac arno ddau gyfarwyddyd:

Valley 7½m   London 254m

Gwyddai pob ffŵl y ffordd i'r Valley, ond wyddai neb ond dreifar y trên y ffordd i Lundain bell.

Os oedd y garej a'r iard yn ddisylw a di-raen o'r tu allan, yr oedd holl arfau'r dyfeisiwr o'r tu mewn ac yno, ar y fainc hirgul, y perfformiwyd sawl gwyrth. Yr oedd gan Bob gymar cyson a glwydai'n dalog ar feis y fainc i wylio pob symudiad yn y gweithdy. Addy oedd enw'r cymar, ceiliog dandi lliwgar a adwaenid yn lleol fel 'y prif weinidog' ar gyfrif ei rodres a'i glochdar balch, ac oherwydd ei ffyrnig-rwydd os deuai neb yn rhy agos at ei feistr, neu ato ef ei hun. Fu erioed yn unman olygfa fwy tangnefeddus, hyd nes y tresbasai unrhyw estron, ac i Addy yr oedd pawb ond Bob a Nel yn estroniaid.

Gyferbyn â chlwyd 'y prif weinidog' yr oedd pen peipen yn y wal a wahanai'r gegin fach a'r gweithdy – un o ddyfeisiadau Bob cyn bod sôn am ffôn symudol. Drwy'r beipen hon y parablai Nel ac y gwrandawai Bob, a gwyddai Addy'n iawn y gwahaniaeth rhwng malu awyr a dweud ei bod hi'n amser cinio.

Cerddai Bob yn araf at ddrws y gegin a'r ceiliog yn clochdar dan draed. Byddai drws y gegin yn agored led y pen bob amser. Yr oedd mwy o ffowls y tu mewn nag a oedd y tu allan, a galwai Nel am osteg yn sŵn y gwyddau, yr ieir, y cathod a dau gi oedrannus. Welwyd y fath filodfa erioed! Gallech gredu fod teulu Tan y Bryn yn aelodau selog o Urdd Sant Ffransis. Mynnai Addy ei le, nid wrth y bwrdd ond ar y bwrdd, a byddai wrthi, damaid wrth damaid, hefo'i gymar mud.

Yr oedd gan Bob a Nel rhyw ffordd gyfrin o drin a thrafod anifeiliaid ac adar, a chyfrifent hwy cyn bwysiced â phobol. Byddai'r ci a'r gath yn cydorwedd ar gadair o'u dewis tra clwydai iâr fawr ddu ar fraich yr un gadair, a phawb yn ffrindia. Yr oedd Wil y clagwydd yn gymeriad nodedig iawn. Dyma, mae'n debyg, yr unig glagwydd yn y wlad a fedrai 'siarad', er i mi glywed am boli-parot ac ambell fyji yn ymdrechu i ynganu gair neu ddau.

Un diwrnod cefais wahoddiad i glywed Wil yn siarad yng nghornel isa'r ardd. Plygodd Nel gan ymestyn ei chorn gwddw ymlaen a chlegar yn sŵn y gwyddau,

'Tyd yma, Wil, mae yma bobol ddiarth i dy weld. Wyt ti am siarad efo nhw?'

Rhedodd Wil yn fân ac yn fuan at ei feistres, nid am ei fod yn deall yr un gair a ddywedodd ond am y gwyddai'n burion y byddai gan Nel dafell o fara ym mhoced ei barclod. Yr oedd Nel a Wil am y gorau'n gweiddi – pob un yn ei iaith ei hun. Fe'm cornelwyd innau gan gwestiwn Nel,

'Ydach chi'n 'i ddeall o?'

Fynnwn i er dim ei siomi. 'Mi rydw i'n colli ambell air, Nel,' meddwn!

Roedd Nel yn ddawnus ryfeddol â'i nodwydd a'i siswrn. Hi fyddai'n gyfrifol am ddilladu sawl brenhines garnifal a'i gosgordd ar hyd a lled Sir Fôn. Llwyddai yn ddi-feth i wneud gwyrthiau o ddefnyddiau prin a thlawd ac fe ddeuai bonedd a gwrêng yno hefyd i gael eu mesur am wisg briodas. Enillodd Nel gryn enw iddi ei hun fel arbenigwraig gwisgoedd priodas; penliniai i fesur y ffrogiau i drwch blewyn ac arferai ddweud,

'Cofiwch, un cynnig sydd hefo ffrog briodas. Gwnewch y dewis iawn.'

Yn wir, i Garmel yr âi pawb ar gyfer pob achlysur; yr oedd pob ffordd yn arwain yno! Nel a wisgai'r trowsus yn Nhan y Bryn a hi a gyfarchai bob ymwelydd yn y drws gwydr. Yr oedd croesffordd tua'r cyntedd ac o ddal i'r dde dyna'r ffordd i'r cefn ac i'r gegin fach; ond yn syth i fyny'r grisiau fe ddeuech i ystafell eistedd eang braf gyda phanorama o olygfa o Ynys Môn i gyd, ac eithrio Caergybi a Mynydd y Garn. I'r ystafell foethus yma yr arweinid y byddigions, neu 'bobol sydd yn rhywun' yn nhyb Nel. Câi'r rhain de mewn cwpanau lliwiau neis, hen lestri Tan y Bryn. Eisteddai Nel yn flêr a'i choesau hirion gwynion yn ymestyn o gadair i gadair yn adrodd storïau difyr am gwmni drama enwog John Stamp ac am y grŵp canu enwog hwnnw dan arweiniad Mrs Albert Owen. A phe digwyddai ichi dynnu sylw at y piano byddai bysedd Nel, mewn dim o dro, yn dawnsio dros y dannedd melyn a hithau'n canu mewn cystadleuaeth â'r filodfa bluog.

Yr oedd pethau'n gwbwl wahanol i'r werin a gâi eu mesur yn y gegin fach, gyda thriawd y buarth yn busnesu hefo pawb. Gwelwyd sawl merch ifanc yn cwmanu yn ei phais am fod pig Wil y clagwydd yn pysgota rhwng ei choesau. Yr oedd pob cadair yn drwch o flew'r cŵn a'r cathod yn yr ystafell newid hon, a hyd yn oed pe llwyddech i osgoi'r blewiach fe gaech bluen neu ddwy o wasgod Wil.

Châi neb adael y gegin fach heb ildio rhodd fechan neu brynu stribed o dicedi raffl, a'r cyfan tuag at Gronfa'r

Fynwent yng Ngharmel; hon, gyda llaw, oedd ail gariad Nel ar ôl y nodwydd a'r siswrn.

A sôn am gariad, mi *oedd* Nel wedi dyweddïo i briodi Tomi o Fodffordd. Ar eu ffordd o Lerpwl rywdro, stopiodd y ddau mewn siop emau yng Nghyffordd Llandudno a phrynu modrwy, fel prynu bar o siocled. Yn dristach na thristwch, bu farw Tomi cyn y briodas.

Hyd y gwn i, fu gan Bob erioed gariad. Yr oedd ganddo ryw syniad a gyfaddefodd ryw dro wrth newyddiadurwr o Sais,

'Once you are married, you lose your talent. I've always kept busy concentrating on my work. I could not do that with a wife around.'

Glyn Pensarn

'Ddowch chi, blant, ymlaen i ddweud eich adnodau?' gofynnodd llywydd y mis yn Seion, Llandrygarn. Cyn iddo orffen ei strytyn wythnosol, dyna ffrydlif o blant swnllyd yn codi. Safent yn rhes ar y rhodfa gul rhwng y seddau a'r sêt fawr, eu hwynebau bach llwyd yn sbecian rhwng ffyn ffendar y sêt fawr, yn union fel rhes o ddyniewaid wrth y rhastl.

Rhoes y blaenor nòd ar yr eneth dal a safai ar ben y rhes. Cafwyd cadwyn hir o adnodau yn amrywio o 'Duw cariad yw' i 'Cofiwch wraig Lot,' a hymiodd y blaenor ei gymeradwyaeth ar ôl pob adnod.

Gan fod Glyn, Ynys Waelod, yn llai o lawer na'r plant eraill fe enillai fwy o sylw a chydymdeimlad na'r lleill.

'Beth ydi dy adnod di heno, Glyn?' gofynnodd y blaenor, yn fwyn a charedig. Troes y bychan at y gynulleidfa, fel y plant mawr eraill, yn llawn hyder. Yr oedd yna rywbeth gwahanol o gwmpas hwn, ei lais yn dreiddgar a gellid teimlo rhyw bresenoldeb, yr hyn a eilw'r gwybodusion yn 'ffactor x' – beth bynnag ydi hwnnw. Yr oedd ganddo wyneb unigryw, trwyn Rhufeinig a hwnnw fel pe bai'n rhy fawr ar gyfer ei wyneb cul, a dau lygad mawr du yn goleuo'i wyneb. Aeth Capel Seion yn llwyfan ar gyfrif ei lais, ei osgo, ei edrychiadau a'i ymarweddiad.

Daeth yr hen Salm honno 'Gwyn ei fyd y gŵr ni rodia yng nghyngor yr annuwiolion . . .' yn fyw yng ngenau'r llanc hwn!

'Pregethwr wyt ti am fod wedi tyfu'n fawr, Glyn?' gofynnodd y blaenor.

'Ia, 'wyrach,' meddai Glyn braidd yn swil.

Dyma'r llwyfan cyntaf a gafodd Glyn Pensarn i ymarfer ei ddawn neilltuol, dweud adnod ar nos Sul a Band o' Hôp a Seiat ar nos Fawrth. Ac o fyw mewn lle mor bellennig ac anghysbell ag Ynys Waelod roedd oedfa a seiat yn nefoedd i unig blentyn, a hwnnw'n hogyn dawnus.

Symudodd y teulu o Landrygarn i Lan'rafon ym Mhensarn, i fferm llawer mwy na'r tyddyn. Wedi darfod yn yr ysgol daeth Glyn gartref i ffermio hefo'i dad er nad oedd siâp ffermwr, nag awydd ffermio, arno. Yn ei anniddig-rwydd fe gasglodd yntau'r cwbwl ynghyd a'i throi hi am Lerpwl, dinas a fu'n fagned i bobol Môn.

Am ryw reswm, penderfynodd Glyn ei fod am fynd i forio ac ymunodd â'r criw oedd yn 'seinio on' i gael llong. Tosturiodd llongwr o Gemais wrtho, gan ei gynghori i heneiddio blwyddyn yn sydyn a chyrraedd un ar bymtheg oed. Drannoeth, cafodd addewid am long. Yn y cyfamser yr oedd Annie, ei fam, wedi cael gair â Chapten Rhiwlas, cymydog iddynt. Fu gair ac awdurdod hwnnw fawr o dro yn troi'r morwr bach tua thre.

Ond os na chafodd y morwr gyfle, fe gafodd yr actor. Yr oedd Elen Roger Jones wedi dod i Amlwch ac wrthi'n egnïol yn codi cwmni drama, a threuliodd Glyn a'i gyfaill, Elwyn, oriau difyr yng nghwmni'r ddramodwraig. Sylwodd Elen Roger fod yna botensial rhyfeddol yn Glyn Glan'rafon a thyfodd perthynas neilltuol rhyngddynt, ond yr oedd Elen yn wraig o argyhoeddiadau cryf a phendant, yn enwedig ar ddirwest. Wedi diwrnod yn llwch a lludded y fferm, teimlai'r ddau actor eu bod yn haeddu gwlychu'u pigau yn y Dinorben Arms cyn mynd am ddwyawr o actio, er iddynt synhwyro fod hyn yn gamgymeriad. Beth ddywedai'r athrawes?

'Wli, tro di dy din ati,' meddai Glyn, 'a gad y gweddill i mi.'

'Dowch i mewn, hogia,' meddai Elen wrth glywed y curo ysgafn ar y drws. Estynnodd am eu cotiau ond,

'Peidiwch a dŵad dim cam yn nes! 'Dach chi wedi cael rhyw ddi . . .' Torrodd Glyn ar ei thraws, 'Sori, Mrs Jones, wedi cael coblyn o ddos o annwyd, a fynnwn i er dim i *chi* gael dim ohono.' Mi fyddai Glyn ac Elwyn yn cael annwyd yn fynych iawn!

Ar wahân i actio, byddai'r ddau yn difyrru mewn capeli a chymdeithasau ar yr ynys; roeddent yn rhyw fath o Morecambe and Wise gwreiddiol a gwledig. Câi Glyn ei wahodd yn fynych i arwain cyngherddau a Nosweithiau Llawen. Cafodd wahoddiad i arwain cyngerdd Carnifal Sarn Meillteyrn unwaith, yng nghynefin ei fam. Coroni'r frenhines oedd y digwyddiad pwysicaf yn y cyngerdd a galwyd ar wraig fonheddig i ddod ymlaen i 'goroni', ond yr oedd symudiadau a sylwadau'r arweinydd yn tueddu i gymylu peth ar urddas y seremoni. Fflachiai'r camerâu gan ddrysu'r plant mân, troednoeth; gwenai'r foneddiges yn falch ar bawb, gan guddio tu ôl i het fawr lydan, a symudai Glyn yn ôl a blaen fel dyn gwerthu pysgod. Yr oedd y lle'n ferw gwyllt a cheisiai fynnu tawelwch i'r coroni. Daliai'r wraig i wenu, gan chwilio am y camera disgleiriaf a rhoddodd y goron yn ysgafn a simsan ar ben y frenhines ifanc. Synhwyrodd Glyn na fyddai'r goron fyth yn dal ei gafael, ac ymestynnodd â'i ddwylo mawr i ail-goroni. Suddodd y goron yn isel, isel ar ben y plentyn gan ei dallu!

Trobwynt arall yn hanes Glyn fu ymuno â'r Theatr Fach yn Llangefni. Yr oedd George Fisher yn chwilio am ddrama Gymraeg a daeth Elen Roger Jones i'r adwy hefo'i chwmni a'i drama, *Gwyliwch y Paent*. Deuai Glyn â hwyl a hiwmor i bob ymarfer, ond un o'i wendidau amlwg oedd na fyddai amser yn mennu dim arno; byddai'n hwyr i bopeth. Cyrhaeddai'n drafferthus gyda'r un esgus yn ddieithriad, 'y fuwch yn dŵad â llo, Mrs Jones'. A chan nad oedd Elen Roger yn rhyw lawer o awdurdod ar fuchod yn lloea, byddai'n rhaid derbyn yn dawel. Ond fe drodd at Glyn un noson, ac yntau yn hwyrach nag arfer,

'Lle goblyn buost ti, Glyn?'

'Rhyw hen heffar bach yn dŵad â llo, Mrs Jones, trafferth gynddeiriog.'

'Dwed i mi, Glyn, sawl buwch sydd gen ti?' holodd yr athrawes, yn fyr ei hamynedd.

'Wel,' meddai Glyn gan ddychmygu cyfrif y buchod, 'Mae acw ddeg ar hugain, yn siŵr gen i.'

'Rhyfedd iawn,' meddai Elen, 'mae yma tua deugain wedi dŵad â lloeau yn barod gen ti!'

Mi fyddai'n arferiad i'r cwmni gael parti bach ar noson olaf perfformiad yn y Theatr Fach. Er bod Elen Roger yn ddirwestwraig bybyr, fe'i cynhelid yng nghyffiniau'r bar, ond feiddiai Glyn yfed dim byd meddwol yn ei golwg. Llwyddai i'w thwyllo trwy gadw cyn belled ag y medrai oddi wrthi, ac yfed o fŵg mawr. Ond ar un o'r nosweithiau hynny, fe ddaeth Elen ar frys at Glyn heb roi cyfle iddo guddio cynnwys y mŵg,

'A finna'n credu y byddet ti'n cymryd llefrith yn dy de, Glyn!' meddai.

Nid yn unig yr oedd Glyn yn hwyr yn cyrraedd i'r ymarferiadau yn y Theatr Fach ond byddai'n gyndyn iawn o droi am adref ar y diwedd hefyd. Os câi glustiau i wrando fyddai dim taw arno; mwynhâi gwmni a sgwrs yn fwy na dim. Ar achlysur felly fe sylwodd un o'r cwmni ei bod wedi troi hanner nos ac aeth pawb am ei gar yn reit ddiseremoni. Sleifiodd Glyn i'r tŷ mor ddistaw â lleidr, rhag deffro ei wraig, Kitty. Cyrhaeddodd ben y grisiau yn y tywyllwch, ond wrth fyseddu ei ffordd am ddrws y llofft, canodd y ffôn yn uwch nag arfer. Troes yn ôl i'w dewi rhag blaen. Cododd y peiriant a chlywodd,

'Lle ddiawl wyt ti? Rydw i'n disgw'l amdanat ti yn fama.'

Ia, Kitty oedd yno, gan iddi fynd hefo Glyn oriau ynghynt i dŷ ffrindiau yn Llangefni!

Trwy gyfrwng y doniol a'r dwys, daeth Glyn Pensarn yn eilun i gynulleidfaoedd ledled y wlad, dros donfeddi'r radio ac ar sgrin y teledu. Gwisgai'r un wyneb a siaradai â'r un llais; doedd dim raid wrth ymdrech i actio. Nid rhyfedd iddo gamu'n naturiol o'r byd amatur i'r byd proffesiynol.

Pwy a anghofia ei berfformiad gwych fel Mac yn nrama Huw Lloyd Edwards, *Pros Kairon*? Yn wir, Glyn oedd Mac! Perfformiwyd y ddrama hon yn Detroit gyda J. O. Roberts yn cyfarwyddo, a deil y cwmni i gofio'r hwyl a gawsant hefo Glyn yn y ddinas ryfeddol honno. Wrth fwynhau paned hefo'i gilydd yn fyrddaid ar y palmant, glaniodd aderyn mawr du wrth eu traed i chwilio am damaid. Sylwodd Glyn fod gwawr goch ar ei big ac ar blu ei ben,

'Nefoedd wen!' meddai'n sydyn, 'Sbïwch, lats – robin goch America. Tydi o gymaint ag wyth o rai Sir Fôn!'

Wrth gerdded ar un o rodfeydd llydan y ddinas honno, cerddai dwy wraig annaturiol o dew yn hamddenol o'u blaenau. Haerai'r criw o Fôn na welsant erioed yn eu bywyd ddau ben ôl mor fawr. Troes Glyn at y ddwy wrth basio gyda chyfarchiad a gwên, a chan daflu cilolwg o'i ôl, meddai'n uchel yn Gymraeg,

'Tydi bob dim yn fawr yn Merica 'ma, dudwch.' Gwenodd y ddwy'n ddiolchgar!

Heb os, y rhan a ddaeth â'r sylw pennaf i Glyn yn genedlaethol oedd ei ran olaf ar y teledu fel Pat Flynn, y sipsi yn *Pobol y Cwm*. Pan ffilmiai'r criw ymysg teulu o sipsiwn go iawn ar gyrion Merthyr, fe bwyntiodd y pennaeth ato a dweud,

'He's not one of you, he's one of us.'

Go brin y gwelodd y pennaeth hwnnw Ann Jones o nymbyr tŵ, Ty'n Llan, Bryncroes yn Llŷn – hen nain Glyn. Yr oedd llun mawr ohoni ar bared bwthyn Elin, ei merch, yn brawf diamheuol mai un o dylwyth y sipsiwn oedd Ann Jones. Roedd y pennaeth yn llygad ei le; roedd 'na dipyn go lew o'r sipsi yn Glyn hefyd – o ran edrychiad, cymeriad ac ysbryd.

Daeth gyrfa'r actor dawnus i ben yn rhy gynnar o lawer. Yng ngeiriau'r Prifardd Alan Llwyd,

> Lle bu'i act y mae gwacter – ei angau,
>   Cans gollyngodd amser
> Ei len cyn cwblhau hanner
> Act olaf ei yrfa fer.

Yr Efeilliaid

Gefeilliaid oedd Evan a Thomas John, ac i greu mwy o ddryswch roeddynt yn efeilliaid unfath. Yr oedd hi'n anodd gynddeiriog cael dim i'w gwahaniaethu. Yr oeddynt o'r un taldra, fawr fwy na phum troedfedd yn ôl y sôn, ac o'r un pryd a gwedd. Mae'n wir fod peth gwahaniaeth yn natur y ddau, ond mae hwnnw o'r golwg a chyfyd o mo'i ben nes y caiff brociad, fel neidr yn cysgu.

Nid yn unig yr oeddynt yn efeilliaid unfath, yr oedd y ddau yn ddiwahân. Roeddynt yn gynddeiriog o glòs yn ei gilydd; meddyliau Twm oedd meddyliau Evan a meddyliau Evan oedd meddyliau Twm. Yn ychwanegol at hyn fe rannai'r ddau yr un talentau, doniau a ffraethineb. Ble bynnag yr oeddent, a than ba amgylchiadau bynnag y byddent, byrlyment i'r wyneb a chyn pen dim Evan a Twm fyddai arglwyddi'r ddawns. Dau i'w clywed ac nid i'w gweld fyddai'r efeilliaid rhyfeddol.

Mae'n debyg mai eu magwraeth unigryw oedd i gyfrif am eu ffraethineb a'u hynodrwydd. Yr oedd gan Betsan Thomas bump o blant eraill a oedd flynyddoedd yn hŷn na'r efeilliaid ac roedd hi bron yn hanner cant oed pan anwyd Evan a Twm, tin y nyth yng ngwir ystyr y gair.

Glasenwyd eu tad yn Huw Thomas yr Eos am ei fod yn godwr canu pur enwog hefo'r Bedyddwyr yn y Gaerwen, a bu eu taid, o ochr eu mam, yn goliar yng ngwaith glo y Berw. Daeth yr efeilliaid â llawer iawn o gysur i'r teulu mewn oes ddigon tlawd a llwm; nid rhyfedd iddynt wirioni eu pennau hefo'r fath ychwanegiad.

Gan fod y brodyr a'r chwiorydd eraill gymaint yn hŷn, mynnent fod yr efeilliaid yn cael popeth a geisient. Yn ôl gair un sy'n eu cofio, roedd y ddau yn smocio yn saith oed! Deuent i'r tŷ yn ddigon blinedig weithiau gan eistedd a dweud, 'Ew, dw i jest â marw isio smoc!' Llenwent eu pibellau clai hefo baco Amlwch, a dyna 'fire-away' ac eisteddent â'u coesau'n bleth wrth y tân yn mwynhau mygyn. Cawsant hefyd gramoffon a honno'n canu dros y wlad. Yr oedd hwn yn declyn mor anghyffredin a phrin fel y safai teithwyr wrth y tŷ i wrando ar y canu ac i weld y plant yn bwrw trwy'u pranciau.

Glynai'r ddau yn dynn wrth ei gilydd pan aethant i'r ysgol a phan aflonyddai'r bwli ar un ohonynt byddai'r llall yno i'w amddiffyn. Mae sôn fod Evan wedi troi at y bwli unwaith a'i rybuddio,

'Tasa Twm yn sefyll ar fy mhen i, yli di hogyn mawr faswn i, a fasat ti ddim yn meiddio codi twrw efo hwnnw.' Fyddai'r ddau ar ben 'i gilydd ddim yn dal iawn yn y diwedd!

Yn unol â'r patrwm, aeth Evan a Twm i 'weini ffarmwrs' a'u cyflogi yn ffair bentymor Llangefni. Safai'r ddau ar y stryd hefo llaweroedd eraill – cap stabal ar ochr y pen, bwcwl y cengal yn sgleinio a chlamp o sigarét yng nghwr eitha'r geg. Toc daeth ffermwr heibio gan lygadu Twm,

'D'yw un mor fach â thi ddim yn gofyn cyflog mawr, debyg?'

'Ydw,' meddai Twm. 'Cofiwch ma' 'chydig o beth da sydd i'w gael am arian.'

Buont yn gweini hyd ffermydd y Sir a chyn belled ag Arfon. Cytunodd y ddau â'i gilydd, hyd y bo modd, na fyddent yn cysgu ar wahân a chyflogent bob cynnig i ffermydd agos at ei gilydd, yn ddigon agos fel y cysgent yn yr un llofft stabal ac yn yr un gwely! Roedd yr hen wlâu llofft stabal ers talwm yn ddigon mawr i dri neu bedwar o rai o faint Twm ac Evan.

Rywbryd rhwng y gweini ac ymuno â'r rhyfel fe briododd Twm, symudiad cwbl annisgwyl. Gan fod y ddau enaid mor gynddeiriog o glòs, a chytundeb cyd-gysgu rhyngddynt, pa obaith oedd i'r briodas dan amodau felly? Ond priodi a wnaeth Twm, er gwaetha pawb a phopeth, hefo Siân Fawr. Dylid egluro nad oedd y ffactorau hynny a gyfrifir yn hanfodol i bob priodas arall yn golygu dim i Twm a Siân Fawr. Go brin y bu i'r ddau gyd-fyw erioed, ac yn siŵr fu iddyn nhw erioed gysgu â'i gilydd; tir cadarn iawn am ysgariad i bawb arall ond nid o angenrheidrwydd i Siân a Twm. Pan holwyd ef paham mewn difrif y bu iddo briodi o gwbwl, ei ateb oedd iddo gael gwraig *a* mam trwy ei briodas! Yn gam neu'n gymwys, setlodd marwolaeth gynnar Siân Fawr lu o broblemau i Thomas.

Bellach yr oedd Twm yn dragwyddol rydd – y fo a'i frawd. Ymunodd y ddau â'r Ffiwsilwyr Brenhinol Cymreig a bu i'r lifrau milwrol ychwanegu ychydig at eu maint a gwneud y ddau geiliog yn fwy o ddynion rhywsut, er mai troi pum troedfedd yr oeddynt eto yn eu capiau. Bu'r tebygrwydd unfath yn ddryswch sobor i'r swyddogion milwrol nes y credai un ohonynt yr achubid llawer iawn o amser ac amynedd pe rhoid dimòb i'r ddau.

Yr oedd Twm yn llawer iawn mwy ofnus nag Evan ac arswydai rhag mynd ar ddyletswydd gwylio yn y nos. Daethant dros yr anhawster hwnnw yn hwylus iawn; cymerai Evan ei le heb beri amheuaeth i neb.

Fe'u hanfonwyd gyda'i gilydd i wlad Belg a buont yn ymladd yn Dunkirk am amser, heb yr un niwed. Po ffyrniced yr ymladd, agosa'n y byd yr âi'r efeilliaid at ei gilydd. Ond fe'u gwahanwyd ar eu ffordd i'r llong wrth adael Dunkirk am borthladd yn Lloegr. Cyrhaeddodd Evan y llong yn ddiogel ond yr oedd Twm ei frawd ar ôl. Wrth graffu o'r llong gwelai'r cwch yr oedd Twm arno'n cael ei dorpidio'n yfflon. Safai Evan yno'n fud a'r olygfa yn hunllef iddo – y ddau wedi ymladd am wythnosau ochr yn ochr heb yr un anaf, a cholli yn y diwedd. Y siwrnai honno i Loegr, a chyrraedd yn ôl heb Twm, oedd yr un dristaf ym mywyd Evan.

Wedi glanio, câi'r milwyr seibiant a chyfle i fynd gartref ond fedrai Evan ddim meddwl am fynd heb ei frawd. Arhosodd yn y porthladd am rai dyddiau nes i'r milwyr eraill ddychwelyd. Ymhen peth amser yr oedd yn gorymdeithio ar y promenâd yn ei gatrawd a gwelodd gwmni arall yn gorymdeithio i'w cyfarfod. Fydd milwyr dan awdurdod fyth yn rhythu'n fusneslyd ar ei gilydd fel y gwnawn ni sifiliaid, ond yr oedd achos Evan o'r Gaerwen yn wahanol iawn. Yr oedd ef yn dal mewn llesmair fel dafad wedi colli'i hoen, yn llygaid ac yn glustiau i gyd. Wrth i'r ddwy reng orymdeithio heibio'i gilydd, gwelodd Evan ei efaill! Gwaeddodd dros y lle yn ei lawenydd,

'Twm! Twm! Twm bach!' Neidiodd y ddau o'u rhych a chofleidio'i gilydd fel plant. Yr oedd torri allan o'r rhengoedd fel hyn yn gryn drosedd yng ngolwg awdurdodau'r fyddin ac nid rhyfedd i'r *Daily Express*, ddechrau Gorffennaf 1940, gyhoeddi pennawd bras,

'Soldier Twins Reunited' ac oddi tano, 'Broke Ranks'. Cafodd y ddau faddeuant am eu gweithred gwbwl naturiol a llawn cariad – peth prin yn rhengoedd y fyddin!

Daeth y ddau filwr adre'n ôl i Fôn gan dynghedu na fyddent byth eto'n gadael ei gilydd. Rhyw biltran yma ac acw y buont wedyn heb afael mewn gwaith parhaol. Byddent yn cerdded gyrroedd o wartheg o sêl Llangefni i hwn a'r llall. Ar achlysur felly unwaith, a hwythau wedi cerdded gyr i Ros-meirch, gwrthododd y ffermwr anrhydeddu'r cytundeb er mawr siom iddynt a thalodd lawer yn llai. Ffromodd Twm yn arw ac nid oedd taw arno am y cam a gawsant.

'Hitia befo, Twm bach,' meddai Evan, 'tydi o ddim gwerth mynd â'r achos i Berffro' – hen ddywediad Sir Fôn am fynnu iawn mewn llys.

Daeth hen dafarn enwog Fourcrosses yn atyniad cyson i'r ddau frawd a theithient o Benmynydd gydag un beic, y ddau yn eu tro. Âi Twm hyd chwe pholyn teliffon i ddechrau, yna gadael y beic a cherddod. Yna cymerai Evan y beic, pasio Twm, a mynd hyd chwe pholyn ac yna ei adael i Twm ac felly ymlaen nes cyrraedd pen y daith.

Byddai'r dafarn yn bur llawn o fyfyrwyr o'r Brifysgol ac o'r Coleg Normal, ynghyd â selogion o'r Borth, Llanddona a Llangoed. Ymdoddai'r gynulleidfa gymysg yn gymdeithas ddiddan a chlòs ac fel y cynhesai'r gwmnïaeth, anadlai Evan i'w organ geg yn ysgafn nes peri i'r gynulleidfa dawelu er mwyn clywed y nodau. (Dysgodd yr efeilliaid ganeuon poblogaidd ar y gramoffon ers yn ifanc iawn.)

Chwyddai miwsig yr organ geg a lleisiau'r tenoriaid, a chyfaredd eu canu yn sobri'r gynulleidfa,

> 'And turned to kiss mother goodbye.'

Mae 'mam' yn fam ym mhob iaith ac yr oedd rhyw gryndod effeithiol yn llais Evan wrth 'gusanu mam',

> 'My mother broke down crying
> Oh son! Oh my son! do not leave.'

Erbyn i'r canwr gyrraedd diwedd ei gân,

> 'For the boy that will never come home'

yr oedd sawl deigryn ar ruddiau'r gynulleidfa, a'r myfyrwyr hollwybodus yn ymgolli, fel y werin, yn sentiment y funud. Yna dyna fonllef,

'Be gymri di Evan? Be gymri di, Twm?' Dyna fyddai unig dâl y ddau denor!

Un noson, yn hollol annisgwyl, yr oedd gŵr o Fanceinion yn y gynulleidfa, a hwnnw'n chwilio am dalentau i'r BBC. Fe'i cyfareddwyd yn lân gan y ddau ddifyrrwr a'u hadloniant di-lol a diymdrech – yn chwarae'r llwyau, yr organ geg a'r delyn, ac yn iodlo â'u môr o leisiau. Ond ofer fu pob ymdrech o'i eiddo i berswadio Evan a Twm i droi at bethau uwch. Roedd y ddau yn eithaf bodlon ar lwyfan yr hen dafarn ar y groesffordd. Bodlonent ar fod yn Jac a Wil Sir Fôn. Wedi'r cwbwl, yr oedd llun y ddau wedi'i fframio y tu ôl i'r bar ac oddi tano'r geiriau 'Twm ac Evan, *Twin-Superstars*.'

Georgie Bach

Fel yr awgryma'r enw, dyma un o'r cymeriadau anwylaf a gerddodd dref Caergybi erioed. Myn rhai a'i cofia nad oedd flewyn mwy na phum troedfedd o daldra, a chan ei fod yn gloff o glun fe ymddangosai yn llai fyth.

Un o hen deuluoedd peilotiaid Glan y Môr, neu Riverside, oedd Georgie Bach. Mae Glan y Môr yn rhan neilltuol iawn o dref Caergybi, y rhan hynaf o'r dref yn siŵr ac erys sawl enw o'r gorffennol a gefnoga'r ddamcaniaeth yma. Ffurfia bentref o gwmpas porthladd bychan ac fe gyfeiria rhai o drigolion hynaf y dref at y lle fel 'Bol Sach' – llygriad mae'n debyg o 'Porth Sach', gan mai mewn sachau y cludid y nwyddau dros dir a môr yn yr oes honno. Awgryma eraill y byddai stryd, rywle tu ôl i Stryd Bach heddiw, a elwid yn 'Port Street'. Tybed, fel y tyb rhai, mai Georgie Bach oedd y Glanmoryn nodweddiadol olaf?

Un o nodweddion amlycaf y trigolion oedd eu hiaith, ac fe fyddai rhai o bobol goeglyd y dref yn eu galw'n 'bobol *ddi*-iaith'! Yr oedd W. H. Rogers, pennaeth Adran Gymraeg y Cownti Sgŵl, yr un mor goeglyd gan ddweud mai 'Pidgin Welsh' oedd gan blant Glan y Môr, gan mor glapiog a bratiog eu Cymraeg. Yr oedd Georgie, yn ôl pob sôn, yn gymwys iawn ar gyfrif ei iaith a'i acen i'w alw'n un ohonynt. Y mae'r math yma o iaith, neu o ddiffyg iaith, yn nodweddu ardaloedd o gylch hen borthladdoedd.

Yng Nglan y Môr, hefo'i fam, y bu milltir sgwâr Georgie Bach. Yr oedd hi, fel sawl un arall o'r dref, yn gryn arbenigwraig ar biclo penwaig a'u gwerthu am ddimai yr un! Prentisiwyd George yn farbwr, a hon fu ei alwedigaeth gydol ei oes yn Cybi Place.

Bu Caergybi yn nodedig am ei barbwyr a'i gweinidogion. Yn ôl rhai bu yma well na deuddeg o farbwyr ar un amser, a chaed yma bymtheg o weinidogion ac offeiriaid a gwnaeth ambell farbwr gryn enw iddo'i hun. Yr oedd elfen gymdeithasol werthfawr i bob siop barbwr, gyda phob un ohonynt yn apelio at wahanol ddiddordebau pobol.

Yr oedd W. T. Lewis yn Fedyddiwr selog ac ato ef yn naturiol yr âi pob Bedyddiwr; pwy feiddiai fynd i oedfa ym Methel, neu Hebron o ran hynny, wedi'i gneifio gan neb arall ar wahân i W.T.? Roedd dau Sais, Webster a Murphy, hefo siopau yn Stryd Boston ond mae'n debyg mai W. T. *Parry* yn Stryd Thomas a gâi'r enw o fod yn arbenigwr. Yr oedd dipyn o steil o gwmpas toriad William Parry, ac ato ef yr âi sbifiaid yr oes honno.

Pa obaith oedd gan Georgie Bach i gystadlu â'r rhain i gyd a oedd yn arbenigo mewn rhyw agwedd neu'i gilydd o'r gelfyddyd? Enillodd o, druan, y glasenw – 'Demon Barber'. Yn ychwanegol at hyn, rhyw githwal flêr o salŵn oedd ganddo yng nghwr eitha'r dref ac, yn ôl rhai, ddringodd Georgie erioed yn uwch na sebonwr yn ei brentisiaeth. Rhyw doriad powlen a gâi pawb ganddo a hawdd iawn fyddai adnabod y barbwr. Yr unig amrywiad yn y torri fyddai cneifio pob blewyn os byddai mewn hwyliau drwg.

Er hyn i gyd yr oedd rhai manteision yn siop Georgie; yn un peth dyma'r barbwr rhataf. Âi sawl plentyn hirben ato gan wybod y caent newid go sylweddol o'u chwechyn. I rai, yr oedd y gwahaniaeth rhwng pris Georgie a'r barbwyr eraill yn golygu modfedd neu ddwy yn y gwydryn cwrw.

Os na chafodd Georgie lawer o hwyl arni fel barbwr bu'n glochydd nodedig iawn yn Eglwys Cybi Sant. Yr oedd yr Eglwys hon yn bopeth a ddymunai Georgie; credai nad oedd rhyw lawer o obaith am fyd arall ond trwy ei phyrth hi ac roedd pob ficer a churad yn fodau uwch na'r angylion yn ei dyb ef.

Yr oedd tri churad yng Nghaergybi a phob un ag eglwys dan ei ofal, a'r ficer â gofal dros y tair. Bu'r Parch. Robert Williams yn gurad am flynyddoedd yn Eglwys Sant Cybi, hen Eglwys Gymraeg y dref, a sefydlodd Gymdeithas Gymraeg a elwid yn 'Welsh Guild' gan y plwyfolion. Cydweithiai Georgie ac yntau'n berffaith a chan mai eilbeth oedd y torri gwallt i Georgie, ni chollai'r un o gyfarfodydd yr eglwys, Sul, gŵyl na gwaith.

Wedi marw ei fam, yr oedd Georgie yn bur unig a diymgeledd. Bu'r plwyfolion yn hynod garedig tuag ato a châi wahoddiad cyson am bryd o fwyd hefo rhywun neu'i gilydd. Rhoes Mary Owen wahoddiad iddo i ginio Nadolig unwaith. Cyrhaeddodd Georgie yn brydlon i'w ginio wedi gwasanaethau'r Eglwys, ond sylweddolodd y teulu ei fod ar dipyn o frys; cododd yn syth ar ôl gorffen ei fwyd, gan chwilio am ei gôt. Pwysodd gwraig y tŷ arno i aros tan amser te os dymunai ond atebodd Georgie hi yn ei Gymraeg bratiog,

'Na, na, rhaid imi fynd i lle arall i nôl cinio eto – mae

dynas arall yn disgwyl.' Yr oedd Georgie druan wedi 'dybl-bwcio' peth mor bwysig â chinio Dolig!

Tybiodd Robert Williams, y Ciwrat, mai da o beth fyddai i Georgie gael gwraig i ymorol am ochr ddomestig ei fywyd. Ni wyddom yn iawn ai Georgie a hysbysebodd am wraig drwy'r papur newydd, ynteu ai ateb hysbysiad gan ferch a oedd yn chwilio am ŵr a wnaeth. Pa fersiwn bynnag sy'n gywir, fe gafodd Georgie Bach wraig. Mae'n debyg fod y Ciwrat yn bwriadu'n dda ac y credai ei fod yn helpu, ond hen lanc wrth reddf ac wrth natur oedd Georgie a fedrai'r un ferch yn unman ei wyro o'r rhych hwnnw. Sut fyth y bodlonai merch ifanc nwyfus fyw mewn cawell fel Cybi Place o unman yn y byd? Methai Georgie â chadw'i hun ar ei enillion prin!

Bu'r neithior, dan drefniant y Ciwrat, yn festri'r Hen Eglwys, wrth borth mynedfa mynwent Cybi; dyma 'Eglwys y Bedd', lle y cedwid creiriau saint yr Oesoedd Canol a lle y cynhaliwyd yr ysgol gyntaf yng Nghaergybi gan y Parch. Thomas Ellis.

Ond er gwyched y neithior a'r lleoliad, fu dim hir oes i'r briodas a daeth bywyd yn ei ôl i'w drefn arferol. 'Digwyddodd, darfu' – heb i Georgie deimlo na sylweddoli fod dim byd wedi digwydd yn ei hanes bron. Trwy gymorth y Ciwrat unwaith yn rhagor, fe ddiddymwyd y briodas (yn hytrach na chael ysgariad), ac o'r herwydd cafodd Georgie aros o fewn ffiniau llwybr cul yr eglwys a'i gyfrif yn deilwng fel o'r blaen i gyfranogi'n gyson o'r Cymun Bendigaid.

Ymroes Georgie i'w gyfrifoldeb fel clochydd gan gadw golwg hefyd ar y ddwy eglwys arall, y Santes Ffraid yn Nhrearddur a Sant Seiriol yn y dref. Cardi oedd y 'ffeiriad, y Canon D. L. Morris, ac fel pob Cardi o'r iawn ryw roedd yn felltigedig o gybyddlyd tra oedd y Clochydd yn hael ryfeddol ar bwrs yr eglwys, ac am fynnu fod yr holl greiriau'n disgleirio ar yr allorau. Gan geisio gwneud argraff ffafriol ar y Canon, byddai Georgie yn ei holi bob tro y gwelai ef,

'Can I have some Brasso, Sir?' Câi'r un ateb swta bob amser,

'George Jones, you thrive on Brasso!' (Yn Saesneg y cyfarchai'r plwyfolion y ficer ond yn Gymraeg y siaradent â'r curadiaid!)

Gan y byddai Eglwys Cybi yn gynddeiriog o oer yn y gaeaf, byddai'n arferiad i gynhesu'r dŵr ar achlysur bedyddio ac, wrth gwrs, Georgie a ofalai am y ddarpariaeth honno hefyd. Byddai'r hen bersoniaid yn arllwys y dŵr i'r fedyddfaen fel math o ddefod ar ganol y gwasanaeth, adlais o'r dyddiau pryd y dangosai'r Protestaniaid nad dŵr swyn a ddefnyddient. Yr oedd jwg arbennig â chaead arno at y pwrpas, ac ar un achlysur, pan agorodd y Canon Morris y caead a'i dywallt i'r fedyddfaen, cododd stêm yn gymylau gwynion i guddio'r rhieni, y baban a'r Canon. Yr oedd Georgie wedi berwi'r dŵr fel pe bai am sgaldian mochyn! Ymateb y Canon wrth y drws wrth fynd allan oedd,

'That Georgie Bach thought the baby wanted a Turkish Bath!'

Âi'r Ciwrat, yng nghwmni dosbarth o bobol ifanc yr Ysgol Sul, i ymweld â'r cleifion yn Ysbyty'r Stanley yn aml a byddai Georgie yn ei afiaith yn ymuno â'r bererindod hon, a châi groeso mawr gan y staff a'r cleifion. Fel pob arferiad da arall daeth y genhadaeth hon i ben ond fe barhaodd Georgie i ymweld bob pnawn Sul.

Un pnawn clywyd gwaedd larwm tân, ac yn gwbwl ddirybudd arweiniwyd yr ymwelwyr allan drwy'r coridorau hir, gyda'r gorchymyn i aros ar y lawnt. Mewn dim o dro rhoddwyd y cleifion mewn cadeiriau olwyn, hen a newydd, a gwibiodd y nyrsys hwythau allan fel gwenoliaid cyn glaw. Yng nghanol y bedlam a'r panig agorodd drws yr ystafell gyffredin a safai Georgie yno fel drychiolaeth, cyn wlyped â phe codid ef o'r môr, a'r carped yn duo o gylch ei draed. Daeth hindda wedi'r storm pan ddeallwyd fod Georgie wedi eistedd i fwynhau ei gataid oddi tan y larwm mwg a bod y chwistrellwr dŵr wedi gweithio mewn partneriaeth â'r larwm. Cafodd Georgie Bach fedydd tân llythrennol y pnawn hwnnw!

Ond, er pob amryfusedd a ddilynai Georgie Bach i bobman, yr oedd aelodau Eglwys Cybi yn meddwl y byd o'u Clochydd. Bu iddynt hwy a'r Canon D. T. Davies ei anrhydeddu trwy roi gŵn Clochydd smart iddo, ac er iddynt archebu'r lleiaf o ran maint yr oedd lathenni'n rhy fawr. Bu Undeb y Mamau yn ddyfal a phrysur yn torri ac yn tocio'r gŵn, nes ei gael o'r diwedd i'w ffitio'n berffaith. Teimlai'r Canon y dylai'r Clochydd gael ffon fel rhan o ffigiarins y swydd ond rhwng y wisg a'r swydd aeth y cyfan i ben Georgie. Cerddai'n annaturiol yn ei wisg offeiriadol, yn cyhwfan y ffon fel pastwn gyrrwr gwartheg, a chollai bob urddas pan dywysai'r offeiriaid i'w priod seddau. Wyddai neb ymhle y disgynnai'r ffon!

Ond beth bynnag am y lifrai eglwysig, sicrhaodd aelodau Eglwys Cybi anfarwoldeb teilwng iawn i'r barbwr-glochydd o deulu hen y peilotiaid, cyn i'w gwch bach fynd i mewn i'r porthladd tawel clyd. Prynwyd copi, y gorau, o'r

Beibl Cymraeg newydd ym 1988 a rhoddwyd arno'r cyflwyniad canlynol:

'Er gogoniant i Dduw, ac er cof am George Jones, y gwas ffyddlonaf i Eglwys blwyf Caergybi.'

John Fron Felan

Bedyddiwyd Trewalchmai yn 'bentra'r tair P' am fod yr ardal yn enwog am ei phorthmyn, ei phregethwyr a'i photsiars. Bellach fe ŵyr pawb bron am yr enw hynod, ond ysgwn i pwy a ŵyr am y cymeriad a elwir yn 'John y tair P'?

Mae John Roberts, Fron Felan yn gyfuniad o'r postmon, y pregethwr a'r potsiar – cyfuniad reit anghyffredin – ond fe lwydda i briodi'r nodweddion anghymharus hyn â'i gilydd yn rhyfeddol.

Gorfu i John, fel sawl un arall o'i genhedlaeth, adael cartref yn bur ifanc i ymuno â'r Llynges Frenhinol. Bu hyn yn loes i'w fam, a hithau wedi colli ei mab hŷn, William, yn y rhyfel. Gan fod ynddo awydd mynd i urddau Eglwysig, bu John yn cynorthwyo'r Caplan, ac roedd yn mwynhau gwasanaethu pobol. Ef fyddai'n rhannu Beiblau i'r carcharorion ond gydag amser sylwodd fod y Beiblau'n teneuo. Cafodd ateb i'r dirgelwch wrth weld adnodau ar hyd sigaréts y carcharorion (ond dim ond y rhannau trwm a sych a ddefnyddient, gan osgoi'r rhannau hynny a soniai am gariad a thosturi)! Er mwyn achub y Beiblau, prynodd John rislas iddynt o'i enillion prin!

Wedi'r drin dychwelodd adref yn ddianaf, yn llawn awydd i wasanaethu pobol. Cafodd waith fel postmon yn ardal Bryn-teg, gwaith wrth fodd ei galon. Daeth yn ffigwr amlwg yn yr ardal, yn gwibio fel Batman yng nghlogyn du a llaes y Swyddfa Bost, y cap pig gloyw ar ei ben a'r bag mawr, mawr dros ei ysgwydd.

Buan iawn y sylweddolodd pobol ei libart fod y postmon hwn yn gwneud mwy o lawer na dosbarthu llythyrau. Dywedwyd amdano fod 'John, Fron Felan, yn medru gwneud popeth'. Fu neb hwylusach erioed mewn ardal. Medrai agor drws bach y ffiwsys a gwyddai i'r dim pa ffiws oedd wedi marw a sut i roddi un fyw yn ei lle; ceid goleuni fel o'r blaen, a'r cyfan dan law'r postmon rhyfeddol. Dro arall gwelid ef yn llewys ei grys, cyn wlyped â dyfrgi, yn gosod wasier yn y tap dŵr! Ar adegau eraill fe'i gwelid yn mwynhau paned a theisen gri ac yn llenwi ffurflen hynod o fusneslyd a phersonol; gwyddai sut i ofyn cwestiynau'r Awdurdodau heb frifo'r hen wraig weddw. Ar sawl achlysur atebai'r cwestiwn ei hun! Ond er hyn i gyd fe gâi flas tafod ambell hen flagard.

'Mi roesoch lythyr tŷ ni i Lisi Tŷ Hen,' meddai un wrtho yn reit swta un bore, ac meddai John, yn dal i wenu, 'Wel, dwi'n siwr eich bod chithau wedi anghofio rhoi halen yn y tatws lawer tro.'

Bob bore fe fynnai weld pawb a oedd yn byw wrthynt eu hunain, pa un bynnag a fyddai llythyr ai peidio, a byddai pawb yn ei ddisgwyl. Yr oedd y postmon yn bwysicach na'r llythyrau a gwyddai cystal â Doctor Hughes beth oedd cyflwr iechyd pawb o'r ardalwyr!

Ar un achlysur daeth o hyd i hen frawd ar ei hyd yn y rhesi ffa, wedi cael gwasgfa. Llwyddodd John i'w gael i'r tŷ a galw Doctor Hughes ac aros hyd nes y daeth. Un arall digon anystyriol o'i hiechyd fyddai Jane Jones, Tan Capal,

Capal Coch. Âi yn syth o'i gwely i'r beudy yn y bore cyn cynnau'r tân na chael llymaid o de. Pan alwodd y postmon un bore, nid oedd golwg ohoni. Gwyddai John am bob twll a chornel ar y fferm a daeth o hyd iddi toc, wedi sglefrio a llithro i'r domen. Fel y Samaritan hwnnw gynt, cododd hi ar ei gefn, a hithau'n diferu o fiswel y domen, ac fe'i hymgeleddodd. Gwnaeth dân a phaned o de cryf iddi, gyda rhywbeth cryfach na llefrith yn ei lygaid. Dadebrodd Jane, a chyrhaeddodd Doctor Hughes ar alwad y postmon.

Ar fore arall, methodd John â chael ateb na mynediad i dŷ gwraig unig. Galwyd y doctor a llwyddwyd i agor cil y ffenestr yn y cefn; diolch mai corffyn bychan oedd gan y doctor. Yn anffodus roedd y ddisgynfa i lawr i'r tŷ yn llawer mwy nag yr ymddangosai a syrthiodd y doctor a tharo'i ben yn giaidd, gan adael John mewn penbleth ynghylch dau glaf!

Roedd ail filltir John Fron Felan yn cyrraedd ymhellach na'i rownd bost yn y bore. Fo fyddai'r cyntaf wrth wely unrhyw un oedd yn yr ysbyty, a byddent yn mendio dim ond wrth weld ei wên fawr. Sicrhâi bob un ohonynt y byddai'n siŵr o gadw llygaid ar y tŷ a rhoi diferyn i'r gath.

Nid lifrai'r frenhines yn unig a wisgai John Roberts; gwisgai lifrai offeiriadol bob Sul hefyd. Yr oedd yn ddarllenydd lleyg ac yn fugail da i breiddiau sawl plwyf. Cyplysai'r postmon a'r pregethwr bob dydd – rhyw eilbeth fyddai dosbarthu'r llythyrau!

Tra'n gofalu am Eglwys Penmon cafodd John brofiad eithaf chwithig. Deuai'r organyddes i'w chyhoeddiad ar gefn beic a'i cherddoriaeth wedi'i glymu mewn bag mawr lledr. O bryd i'w gilydd, ar lanw uchel, deuai'r môr i orchuddio'r ffordd at yr Eglwys, ac ar ei ffordd gartref un bore Sul sylwodd y pregethwr fod y môr wedi dod dros ei derfynau, gyda'r gwynt yn gryf o'r dwyrain. Fel gŵr bonheddig, cynigiodd hebrwng yr organyddes trwy'r dŵr, ond mynnai hi farchogaeth ei beic heb help neb. Cryfhaodd y gwynt a disgynnodd ar ei hyd i'r dŵr oer, gyda'r taflenni cerddoriaeth glasurol yn nofio ar wyneb y dyfroedd. Heb ddim lol, cerddodd y pregethwr yn ei lifrai offeiriadol fel Ioan Fedyddiwr drwy'r dŵr i godi ei organyddes yn ddihangol.

Tra'n pregethu yn Eglwys Llanfairpwll un nos Sul, fe hysbyswyd John Roberts fod cath fach ifanc wedi dod i mewn i'r Eglwys a'i bod yn chwarae mig dan y seddau,

'Gadwch iddi,' meddai John, 'wnaiff dipyn o Efengyl ddim drwg iddi.' Caewyd y drws ac aeth y lleygwr ymlaen â'r gwasanaeth gyda'r gynulleidfa yn ymateb yn ôl y gofyn. Cododd John ei destun a chychwyn ar ei bregeth ac fe symudodd y gath fach yn nes at y drws! O weld hwnnw wedi'i gau synhwyrodd ei bod yn garcharor, ac yn unol ag arferiad cath mewn argyfwng dechreuodd fewian yn dawel a chyson. Cyn canol y bregeth deuai 'miaw' ar ôl pob brawddeg a châi porthi'r gath fwy o sylw o lawer na'r bregeth. Yn ei ddoethineb, rhag i ddim byd gwaeth digwydd, torrodd y pregethwr yr oedfa yn ei blas!

Rhoddodd Esgob Bangor ofal Eglwys Sant Moel Haearn, Trewalchmai i John Roberts a dyma gyfuno'r 'tair P'. Mor wir yr hen ddihareb, 'Gorau cipar, hen botsiar'. Credai'r Esgob mai 'Gorau pregethwr, hen botsiar' oedd hi yng Ngwalchmai.

Deil John yn botsiar o hyd; mae ynddo'r holl ystrywiau a dyfeisgarwch a does yr un tric na ŵyr yn dda amdano. Dysgodd y grefft wrth droed Seth Jones, y pen-botsiar. Er mai saethwr oedd Seth a John yn rhwydwr, fe ddysgodd lawer iawn gan ei athro aṃ arferion y ffesant. Ar noson sych clwydai yn y coed pinwydd tra dewisai'r coed glân ar noson wlyb. I bwrpas John a'i rwyd, noson dawel o farrug fyddai'n dal. Ond os oedd anianawd y potsiar ynddo, nid er ei fwyn ei hunan yn unig yr âi allan hefo'i rwyd, ond er mwyn rhywun arall gan amlaf.

Yr oedd yn rhaid wrth ddau neu dri i rwydo'r ffesantod ac i'r pwrpas fe ffurfiwyd triawd: Owen Tynlon, Hugh Crewson a John Bach. Cyn bod sôn am ffôn symudol roedd yna gyfathrach gyson rhwng y tri yma.

'Mi awn ni allan heno; dowch draw acw,' meddai Owen Tynlon. Byddai dau o'r tri yn cydio un ym mhob pen i'r rhwyd a fesurai un droedfedd ar bymtheg o hyd a phedair o ddyfn. Tywysent y rhwyd yn bwyllog, gan adael i'w godrau lusgo'n llipa. Yn sydyn codai ceiliog o'r brwyn a'r llafrwyn, a chan y byddai'r rhwyd yn gwyro 'mlaen yn ei thop nid oedd unman arall iddo fynd. Byddai ganddynt ddewis o gorsydd yn y cylch, er na feddent led troed ohonynt – Cors Ddreiniog, Cors Maen Eryr a sawl un arall. Ond aen nhw byth i gors y Parciau; byddai gormod o barch ganddynt i'r Cyrnol Laurence Williams.

Ar noson dda dalient faich o ffesantod; fydd potsiar byth yn siarad yn nhermau ffigyrau union a chywir. 'Helfa dda neu gyfrif rhyfeddol' yw ei asesiad bob amser. Caent fwy na digon i'w rhannu i'r anghenus ac aent â chryn gyfrif i Garej Jôs yn Llangefni i'w gwerthu.

Er mor llygadog a busneslyd fyddai Twm Llofft, y plismon, lwyddodd o erioed i ddal yr un o'r triawd. O ganlyniad fe ddaliodd John Bach i wisgo bathodyn y Post

Brenhinol, ac fe ddeil o hyd i bregethu yn ei lifrai Eglwysig
i wyrion ac wyresau hen botsiars Gwalchmai!

Ned y Go

Fu 'rioed ardal debyg i Roscefnhir am gymeriadau ffraeth a gwreiddiol – ac yn eu plith ambell un digon od hefyd!

Daeth Grace Thomas, Tŷ Fry, â chryn enw i'r lle, yn arbennig ym myd y ddrama. Cerddodd Begw bach Sir Fôn yr holl ffordd i'r Bala i wrando ar Thomas Charles, a cherddodd Ann Peters i Frynsiencyn i'w glywed. A beth am Dic Beddwgan a gerddodd hefo'r porthmyn i Birmingham ddwywaith cyn bod yn un ar ddeg oed? Cerddodd i Nottingham hefyd, a chan nad oedd yno neb i'w groesawu mi sgwennodd hefo pensal las ar fynegbost: 'Dic Beddwgan yma heddiw, am hannar awr wedi deuddeg' – a dweud wrth Lisi Siop a Bessie Penrhos y byddai'r sgwennu yno am byth bythoedd am mai pensal las oedd hi. Y rhain a llawer iawn mwy fu pregethwyr a chenhadon Rhoscefnhir!

Ond Ned y Go fyddai fy newis i ohonyn nhw i gyd. Y mae Ned, er wedi marw, yn dal i siarad hefo'r neb a'i hadnabu. Roedd rhywbeth yn llais Ned, llais wedi'i diwnio'n rhy uchel ac yn aros yn uchel. Braidd na ddywedech ei fod yn tueddu i fod yn flagarllyd a hawdd y gallai dieithryn gredu mai llais 'codi twrw' oedd o. Roedd ganddo iaith lafar odidog, iaith Sir Fôn, a honno wedi'i phupro â mân regfeydd – ac ambell un mawr hefyd. (Un yn unig fedrai roi brêc ar regi Ned – Thomas Hughes, Trefor Ganol, oedd hwnnw, er na chafodd neb eglurhad pam!) Ond roedd rhegi Ned yn wahanol i bob rhegi arall; os oes yna'r fath beth â rhegi naturiol, wel dyna fo ddwedwn i. Er hynny, roedd gan bob sant a satan feddwl y byd ohono.

Peth arall a nodweddai Ned fyddai ei ysgydwad llaw, arferiad poblogaidd yn Sir Fôn. Fe wyddech yn iawn pe digwyddai i Ned siglo'ch llaw. Cred Dafydd Islwyn, mab Ned ac wyneb cyfarwydd i ddilynwyr y Talwrn yn yr Eisteddfod Genedlaethol, fod yna dri siglwr llaw a haedda fedal – D. J. Williams, Abergwaun; Emrys Evans, Dinas Powys a'i dad.

Enillodd Ned fynediad i'r Cownti Sgŵl yn Llangefni ac yn ôl y sôn roedd yn ddisgybl addawol iawn ond yn llawn direidi. Un prynhawn o wanwyn yr oedd bechgyn y dosbarth yn garddio dan lygaid a chyfarwyddyd Mr Clegg, yr Athro Botaneg, a oedd yn Sais uniaith. Am ryw reswm, hel cerrig a chwyn i'r ferfa oedd gwaith Ned, gwaith nad oedd wrth ei fodd o gwbwl. Wrth iddo gychwyn ei siwrnai am y domen safai'r athro ar y llwybr, ac er bod digon o le i Mr Clegg a'r ferfa, anelodd Ned am ei droed chwith ac wedi mynd dros honno'n giaidd trodd at ei athro a'i gyfarch, 'Very sorry, sir.' Aeth yn ei flaen dros y droed dde eto gan gyfarch yr athro gyda'r un geiriau'n union, ac mewn tôn gwbwl anedifeiriol!

Gorfu iddo adael yr ysgol yn bymtheg oed i fwrw prentisiaeth yn yr efail hefo'i ewythr. Biti na fuasai Davies, Ficer Penmynydd, wedi mynnu ei ffordd i wneud person ohono; roedd ynddo ddigon o allu heb os. A oedd ynddo ddigon o *dact* sy'n gwestiwn arall! Fel pob crefftwr medrus a da yr oedd Ned yn ddigon anwadal ei dymer. Pan fyddai'n dawel a distaw, arwydd o hwyliau drwg fyddai hynny, ond pe bai'n cyfarch ar ucha'i lais, 'Sut wyt ti'r hen foi?' mi fyddai hwyliau da bryd hynny – yn enwedig pe bai'n troi ei gap rownd a'i big dros ei glust a tharo sigarét yng nghil ei geg, a dechrau dynwared pobol yr ardal. Dyna ernes o bnawn difyr, achos doedd mo'i debyg fel dynwaredwr.

Er nad o'i fodd yr aeth Ned i'r efail, eto fe ddaeth yn un o ofaint gorau'r Sir, yn arbennig fel pedolwr – a honno oedd prif grefft y gof yn yr oes honno, wrth gwrs. Deuai ceffylau o bell ac agos i Efail y Rhos i'w pedoli ar gyfer sioeau. Treuliai oriau yn paratoi caseg David Jones, Cefn Coch a cherddai hi'n ôl a blaen gan benlinio wrth ei thraed. Cuddio rhyw nam y byddai bryd hynny, y droed yn troi i mewn ac yntau'n pedoli hefo mantais i guddio hynny. Byddai Catherine Hughes, ei wraig, yn ei dweud hi'n gynddeiriog fod gan Ned ddigon o amynedd hefo caseg Cefn Coch, ond dim hefo hi a'r plant! Nid oedd ganddo'r un amynedd hefo pob caseg ag un Cefn Coch chwaith, a byddai yno goblyn o le weithiau a cheffylau yn rhes i'r lôn yn disgwyl wrtho.

Ar dro felly unwaith y daeth Eirwen, merch Beddwgan, â'r gaseg i'w phedoli. Er nad oedd ond lefran bymtheg oed, medrai Eirwen drafod a thywys hen geffylau gwedd mawr. Synhwyrodd Ned y byddai'n rhaid iddo ddal ei dymer a'i dafod hefo'r hogan fach yma o gwmpas ac o'r herwydd na châi noswylio yn gynnar iawn y noson honno, 'Dos adra, Eirwen bach,' meddai, 'a thrïa hi fory!'

Adeg sioeau a cherdded stalwyni, byddai Ned yn mynd

i'r ffermydd i bedoli ac mae hanes amdano'n cyrraedd Llangefni ar ei feic ac wyth o bedolau stalwyni ar ei gefn; gosododd yr wyth dan ddau stalwyn cyn troi am adref. Pedolai i John Roberts yn y Berffro; i Gwilym Lloyd, Tremoelgoch, ac i'w gymdogion yng Nghefn Coch a'r Cremlyn. Câi alwad hefyd yn flynyddol i Bennal ger Machynlleth i drin traed gwartheg duon enwog y sir, a byddai Richard Rees, y canwr, yn dod draw i helpu i ddal 'Egryn Gwynedd', y tarw du. Disgrifiai Ned y ddrama honno gyda'r manylder mwyaf!

Fe ymddiddorai yn yr ymrysonfeydd aredig a oedd mor boblogaidd ym Môn bryd hynny, gyda'i bartner William Lloyd, un o brif arddwyr y sir. Gwyddai Ned i drwch blewyn sut i osod y cyllyll a'r cwch i lyfnu, a chodai gornel y swch er mwyn i'r gŵys orwedd yn well.

Ond nid gwaith a gorffwys yn unig oedd bywyd Ned y Go. Yr oedd gweithgareddau cymdeithasol neilltuol iawn yn Rhoscefnhir a châi gyfle da i ymarfer ei ddoniau, ac yn y 'Sgoldy enwog y byddai hynny. Nid oedd na Llan na Chapel yn y Rhos, ond roedd y 'Sgoldy cyn bwysiced â'r deml i'r Iddew yno. Dyma lle cynhelid pob cyfarfod, a'r pwysicaf un fyddai 'Steddfod y Rhos ar nos Nadolig. Bu Ned yn arwain hon am rai blynyddoedd, ac yn Jiwbili y 'Steddfod honno yr enillodd o ar y llinell goll enwog,

> Difyr ydyw rhodio'r meysydd
> Difyr gwrando cân ehedydd,
> Ond mwy difyr im' yw dyfod
> *Adra'n ôl o wersyll gorfod.*

Ond y ddrama oedd cariad cyntaf pobol y Rhos ac yn 1943 enillodd y cwmni'r wobr gyntaf yn y 'Steddfod Genedlaethol. Cynhyrchwyd y ddrama *Y Cap* gan Emyr y

Wignedd (a gymerai ran yn ogystal), gyda Ned y Go a Bessie Penrhos fel gŵr a gwraig. Bu cryn sôn a chanmol am y perfformiad a chawsant wahoddiadau o bob cwr i berfformio.

Un tro gwahoddwyd hwy i Lanfair-yng-Nghornwy ar dywydd mawr iawn. Wedi taith hir yno a pharatoi eu hunain i'r llwyfan roedd Bessie a Lisi'r Siop angen y cyfleusterau, ond doedd unman amdani ond yr allan fawr. Cerddodd y ddwy yn nerfus i'r nos, ond yn y cyfamser daeth un o'r swyddogion heibio'r ystafell newid i holi drwy'r drws cefn,

'Ydi hi'n llenwi yma?'

'Nag ydi,' meddai Ned, fel ergyd. 'Gwagio ydan ni gobeithio,' gan gyfeirio at y ddwy actores.

Byddai'n troi pob sefyllfa yn ddrama a phob lle yn llwyfan ac roedd aelwyd yr Orsedd, ei gartref, yn troi'n llwyfan yn aml iawn i berfformiadau dramatig Ned. Yn ddiddorol iawn, fe roddai enwau cwbl wahanol i'w blant yn y cartref: galwai Einion yn Wil, Ted yn Dic, Dafydd Islwyn yn hen John, ac Anwen yn Nan bach!

Yn Rhoscefnhir, byddai siop y pentref yn fan cyfarfod ac yn lle i gasglu a rhannu newyddion, ac yn wir i seiadu weithiau. Rhyw fath o seiat yn trafod gwers yn yr Ysgol Sul oedd yno'r pnawn hwnnw pan ruthrodd Ned i mewn. Trafod sut gymeriad oedd Ioan Fedyddiwr oeddynt, gan fod yr athro yn yr Ysgol Sul wedi bod braidd yn anystyriol yn ei ddisgrifiad ohono. Torrodd Ned ar eu traws,

'Ga i twenty o Players, plis?'

'Sut ddyn wyt *ti*'n meddwl oedd Ioan Fedyddiwr, Ned?' medda Lisi, yn amlwg hefo mwy o ddiddordeb yn Ioan Fedyddiwr nag yn sigaréts Ned.

'Rhyw hen beth mawr blewog fel arth,' meddai Ned yn reit swta. Cafodd ei neges a diflannodd.

Trafodaethau hanner crefyddol felly a geid gan gwmni'r efail hefyd. Pan ddeuai Hugh Jones, y Cremlyn, yno mynnai drafod ei hoff bwnc: credai y deuwn ni, bawb ohonom, yn ôl i'r byd hwn mewn rhyw ffurf ar ôl marw. Nid oedd gan Ned fawr o amynedd â'r athrawiaeth honno, ond gan fod gŵr y Cremlyn yn gwsmer da roedd yn rhaid iddo yntau wrando.

'Be wyt ti'n feddwl, Ned?' holodd un tro. 'Wyt ti'n meddwl y cawn ni ddod yn ôl yma?'

'Wel,' meddai Ned, 'os y do' i yn ôl yma, gobeithio wir mai yn ffermwr y Cremlyn y do' i, ac y dowch chitha i'r hen efail yma i chwysu!' Cafodd yr athrawiaeth lonydd gan ŵr y Cremlyn wedi hynny.

Weithiau byddai dipyn o hel clecs gan gwmni'r efail a châi sawl un ei dynnu drwy'r mangl. Yr oedd sôn a siarad ar led mewn ardal gyfagos fod hen lanc digon parchus wedi symud i fyw at wraig weddw, hithau'n wraig barchus iawn – trefniant a oedd yn gryn anathema yn yr oes honno. Tueddai rhai o'r criw i gyfiawnhau'r symudiad ar sail costau a chwmni, a holent beth oedd o'i le ar y peth, ond mynnai eraill wthio'r cwch i ddŵr dyfnach gan ryw led awgrymu sawl amheuaeth. Pan holwyd am farn y gof ynglŷn â'r holl fater nid oedd barn Ned yn wahanol i neb arall; y ffordd o'i fynegi oedd yn bwysig,

'Ydach chi'n credu 'u bod nhw'n rhannu gwely, Ned Hughes?' meddai un, mwy beiddgar na'r lleill. Gwenodd Ned a syllu i dân gwan yr efail.

'Mi glywais,' meddai'n dawel, gan syllu i gyfeiriad y drws a chibo drwy'r ffenestr bygddu. 'Mi glywais fod y ddau yn gwlychu'r un pot – fedra i ddim dweud ydyn nhw'n *cysgu* hefo'i gilydd.' A dyna setlo'r mater.

Ar wahân i weithio'i ddiwrnod yn yr efail yr oedd ganddo leiniau o dir i gadw pedair neu bump o fuchod llaeth a byddai yn y beudy'n gynnar iawn bob bore yn godro. Galwai Dafydd, Tŷ Croes, heibio am sgwrs fel arfer, ar ei ffordd i weld ei anifeiliaid. Byddai cryn ddrama yn y beudy ambell fore, y llefrith a Ned yn diferu yn y lleusod, ac ar fore felly byddai Dafydd yn mynd heibio'n reit dinfain.

Byddai'n reit ddyrys ar Ned druan ar hafau sych hefyd oherwydd diffyg dŵr i'r buchod. Wedi diwrnod caled yng ngwres yr efail, byddai'n rhaid iddo ddyfrio'r stoc drwy gario siwrneiau o ddŵr iddynt. Un gyda'r nos tesog, y buchod yn sychedig a Ned druan wedi blino'n lân, roedd y cafn yn wag fel y dychwelai Ned â'i siwrnai. O dipyn i beth, fel y torrwyd eu syched, aethant at y borfa ond mynnai un ddal i ddisgwyl ac i yfed. Dychwelodd Ned hefo'i siwrnai olaf gan gredu y byddai hi wedi cael digon – ond na, yno yr oedd hi'n disgwyl o hyd! Chwythodd y ffiws, lluchiodd y siwrnai ddŵr dros y fuwch fawr foliog gyda'r geiriau,

'Dos i bori hefo'r lleill, yr hen *fire-brigade* ddiawl!'

Jac Beti

Dim ond un dalent a gafodd Jac Beti ond, y nefoedd a ŵyr, fe wnaeth ddefnydd llawn ohoni. Y ddawn i yrru gwartheg oedd honno, ac nid oedd neb yn y deyrnas a ragorai arno.

Yn ôl safonau addysg ffurfiol y dydd roedd yn anllythrennog, ond er na fedrai ddarllen nac ysgrifennu medrai rifo a chyfrif mewn modd nas gwyddai neb, gan gynnwys Jac ei hun! Gallai yrru gyr o wartheg i unrhyw gwr a chornel o Sir Fôn, ac ar rai troeon gyrrodd dros y bont i'r tir mawr. Fethodd o erioed â chyrraedd pen ei daith, a byddai'r stoc yn ddianaf ac yn eu cyfrif iawn. Jac oedd y gyrrwr olaf a welwyd ar ffyrdd Môn ac enillodd y fath anfarwoldeb fel y torrwyd y geiriau 'gyrrwr anifeiliaid' ar ei garreg fedd ym Mynwent y Dref, Llangefni.

Magwyd ef yn ardal enwog a thlawd Lôn y Felin, Llangefni hefo'i rieni, Betsan a Dafydd Jones. Er iddynt symud fel teulu o Lôn y Felin i Dai'n y Coed, Llangristiolus, ardal dlotach fyth, fe ddaliodd Betsan a Jac i gyrchu tref Llangefni a chapel bach Lôn y Felin.

Byddai Jac yn y mart yn ddi-feth ar ddiwrnod sêl, yn trefnu ei deithiau hwnt ac yma hyd y sir. Fe wyddai trigolion y dref i'r dim pan gychwynnai ar ei daith. Clywid ei lais treiddgar yn diasbedain dros y lle a byddai cryn ddyrnaid o faco Amlwch yn ei geg. Deuai'r genfaint gorniog o'i flaen, yn puo ac yn pibo hyd y stryd, a phawb yn swatio rhag baeddol y gwartheg neu sudd baco'r gyrrwr. Fe gâi help hwn ac arall i'w troi wrth gloc y dref; ar y dde wedyn yn syth i fyny'r stryd a thros bont y trên, hyd lwybr yr hen goets fawr ers talwm. Unwaith, a Jac yn gyrru dros y bont, daeth trên a'i mwg a'i thwrw i chwalu'r gwartheg allan o reolaeth. Go brin y bu erioed fwy o regi ar stryd Llangefni na'r diwrnod hwnnw!

Dros y bont wedyn am Gorn Hir (atgof arall o ddyddiau'r goets fawr) a'r gwartheg yn arafu ac yn blino erbyn hyn, ond byddai Jac yn dal i'w cystwyo hefo'i bastwn onnen ciaidd yn fwriadol i'w blino. Fe gerddent fel pobol i gapel wedyn, meddai! Ymlaen yn dalog am Fodffordd a Threfor ac yna i Fodedern, ardaloedd y ffermydd mawr. Gwyddai Jac am bob adwy, giât a bwlch ymhell cyn eu cyrraedd a defnyddiai bob fforddolyn i gau giât agored. Weithiau gorchmynnai iddynt sefyll ar y groesffordd i gyfeirio'r stoc, ac os gwelai rywun yn mynd ar feic i Fodffordd byddai gan Jac neges bendant iddynt,

'Dwed wrth y diawliaid Penffordd 'na am gau'r giatiau. Mae'r lle'n agored fel *ranch*, nos a dydd.' Cartref Charles (Williams) oedd hwnnw, a chollai ef byth gyfle i glywed Jac Beti yn rhaffu ei areithiau byrfyfyr.

Gwaeddai Jac dros y wlad cyn cyrraedd pob tŷ a thyddyn, yn rhybudd clir fod y fyddin gorniog ar ei thaith. Y mae rhai yn dal i gofio miwsig y carnau ar y cerrig mân. A hithau'n oes y pedoli gwartheg gallwn ddychmygu eu sŵn yn cythru trwy strydoedd cul y trefi a'r pedolau haearn dwbwl yn curo'n gyson! Ond, er y gweiddi a'r gwylltio, yr oedd ymddygiad Jac yn fonheddig iawn tuag at bobol ac yn garedig at anifail.

Un peth fyddai gyrru a chyfeirio gyrroedd ar hyd y ffordd fawr; camp y gyrrwr fyddai didoli'r gwartheg i'r gwahanol ffermydd a'r tyddynnod. Roedd llawer mwy i'r gamp na thynnu pump o wartheg allan o ddeugain. Rhaid oedd tynnu'r pump priodol, ond yr oedd Jac Beti'n bencampwr ar hyn. Cofrestrai bob anifail yn ei feddwl cyn bod sôn am dagiau plastig yn eu clustiau. Wrth ddidoli, dewisai fod ar ei ben ei hun; siaradai'n dawel, dawel a pharhaus â hwy a llwyddai'n rhyfeddol i'w gwahanu yn ôl y gofyn. Iddo ef yr oedd i bob un ei nodweddion arbennig, a hon yw'r ddawn brin. Tybed nad oes dawn gyfrin gan rai i gyfathrebu ag anifeiliaid, fel y gwnâi'r Sant hwnnw o Assisi – er na honnai Jac ei fod yn sant nac yn fab i sant!

Weithiau byddai'r daith yn un ddyrys ac anodd a'r cyfrif yn rhy fawr i Jac eu gyrru ar ei ben ei hun. Bryd hynny byddai Betsan, ei fam, yn mynd hefo fo.

Fu erioed fam â mwy o feddwl o'i phlentyn na Betsan Jones, a fu erioed fab â mwy o feddwl o'i fam na Jac. Fyddai hynny ddim yn gwarantu y byddent yn cyd-fyw yn dawel â'i gilydd, yn enwedig wrth yrru gwartheg. Jac fyddai meistr y daith o'r cychwyn i'r diwedd ac, am dro, byddai'n rhaid i Betsan blygu i'w ofynion a'i orchmynion.

Yr un ddiwyg a fyddai i Betsan Jones wrth yrru gwartheg ac wrth addoli yn Lôn y Felin. Gwisgai het fechan ddu a oedd yn rhan annatod o'i phen, fel ei gwallt blêr – a chan na fyddai byth yn cribo hwnnw, doedd dim raid tynnu'r het, nos na dydd. Cuddiai ei chorff bychan eiddil mewn siôl fawr ddu, yn union fel malwen mewn cragen â'i hwyneb bach llwyd yn pigo allan.

Ar un o'r teithiau hyn gyrrent yr go fawr ar yr A5, i lawr o Dyrpeg Nant i gyfeiriad Pentreberw. Rhoes Jac orchymyn i'w fam i basio'r gwartheg mewn da bryd cyn cyrraedd y pentref,

'Rheda fel diawl drwy'r ffos a phaid â gwneud sŵn.'

Ar amrantiad dacw Betsan fel milgast drwy'r tyfiant ond bachodd hen fiaren bowld yn yr het fach ddu a'i halio'n ddiseremoni oddi ar ei phen. Dychrynodd a safodd yn stond,

'Jac, rydw i wedi colli fy het. Be wna'i?' Daeth gair ffyrnig o'r pencadlys,

'Rheda nerth dy din, waeth iti befo'r hen het 'na. Mi rwyt ti'n ddelach hebddi o lawer,' fel pe bai'n feirniad mewn sioe fodelau!

Llwyddodd Betsan i gael y blaen ar y gwartheg cyn cyrraedd y groesffordd a'u troi tua'r gorllewin am Langaffo a Niwbwrch, ond erbyn cyrraedd Llangaffo roedd y ddau yrrwr mewn cryn stad. Yn siŵr, *doedd* Betsan ddim delach wedi colli'r het! Disgynnai ei gwallt dryslyd fel cynffonnau cathod dros ei thalcen ac yr oedd Jac yntau yn foddfa o sudd baco, a chwys yn rhedeg yn llinellau brown-ddu hyd ei wyneb rhychiog. Ond llwyddodd y ddau i ddidoli'r gyr i'w cartrefi newydd heb drafferth yn y byd.

Âi Jac a'i fam i bob sêl ar yr ynys a byddent yn siŵr o gael galwad i yrru'r gyrroedd adref. Yn un o'r sêls sylwodd Betsan Jones fod yr ocsiwnïar yn methu'n lân â chael cynnig ar ferlen fach froc ddel. Gwaeddai'n ddi-baid, 'Ugain punt! Ugain punt!' gan droi i'r Saesneg bob yn ail, 'Twenty pounds! Only twenty pounds!' Tosturiodd Betsan wrth y ferlen a'r ocsiwnïar a chododd ei bawd. Neidiodd hwnnw yn ddifeddwl at y cynnig, ond yna synhwyrodd ei benbleth.

'Beth wyt ti'n ddeud, Jac? Mi fydd rhaid iti dalu ugain punt.' Daeth yr ateb,

'Gwna di'r un fath â mae Mam yn deud!' Wedi'r cwbwl, yr oedd Mam yn alffa ac omega i Jac!

Wedi marw Betsan fe ddirywiodd iechyd Jac a gorfu iddo fynd i Wyrcws y Fali. Mynnai ddod i Langefni bob dydd Sadwrn a Sul; nid oedd neb a'i dyfnai o'r Ship nac o gapel Lôn y Felin.

Ar ddiwetydd y Sadwrn, pwysai ar ffenestr foliog Siop Price yn aros am gar John Foulkes, y Bodrwyn. Pan gyrhaeddai'r car, camai Jac yn wyrgam i ymyl y palmant ac estynnai ei law dde allan i gyfarch Mr Foulkes tra byddai'r aswy law ar agor yn fawr fel plât casglu fore Sul. Wedi ysgwyd llaw yn foneddigaidd, rhoddai gŵr y Bodrwyn hanner coron yn llaw'r cardotyn – offrwm erbyn y Sul!

Byddai gwraig y Ship wedi ymorol am le yn y cefn i Arnold Gibson (ffrind gorau Jac) ei siafio a'i ymgeleddu cyn y Sul, a chan fod Arnold yn dipyn o Mr Picton hefo tîm pêl-droed y dref, fe gâi Jac fynd i bob gêm.

Yr un gynulleidfa oedd yn y Ship ar nos Sadwrn ag a fyddai yn Lôn y Felin ar bnawn a nos Sul; dwy setiad lawn o adar brith. Roedd drws Lôn y Felin yn lletach na'r un capel arall ac fe deimlai Jac yn hynod gartrefol yno.

Un Sul, tra moriai'r pregethwr yn ei weddi, fe roddodd Arnold her i Jac Beti dynnu pin het Maggie Jane Owen, Blawd. Gan fod Maggie bron â chysgu theimlodd hi ddim byd a rhoes Jac y pin i'w gyfaill a'i arwr yn reit ddiniwed. Ond os na theimlodd Maggie Jane, Blawd, y bin yn diflannu o'i het, fe'i teimlodd yn gwanu i dew ei chlun! Cododd a gwaeddodd dros y capel bach,

'Arglwydd annwyl! Be' oedd 'na?' Erbyn hyn yr oedd Johnnie Jones, y paentiwr, ar ei draed yn cyhoeddi.

'Ewch allan y diawliaid, bob un!' gwaeddodd, a cherddodd rhes hir o bechaduriaid am y drws, a Jac Beti yn dilyn o hirbell – yn methu'n lân â deall beth oedd yn bod. Nodiodd ar y paentiwr blin gydag addewid,

'Mi ddown ni'n ôl!'

Ond ddaeth Jac ddim yn ôl i'r Ship nac i'r capel bach. Dirywiodd ei iechyd nes y bu'n rhaid ei symud o'r Fali i gael gofal dwysach yn Ysbyty Llys Ednyfed, Penrhyndeudraeth. Ac yno, yn yr adain honno o Wyrcws y Penrhyn, y bu farw John Jones ar y dydd olaf o Ionawr, 1958. Yno hefyd, yn y Penrhyn, y torrwyd iddo fedd tlotyn.

Daeth y stori i Langefni a daeth cynulleidfa'r Ship a'r capel bach at ei gilydd yn ddi-oed, a than arweiniad Ned Siop Gray a Simpson, dygwyd Jac Beti yn ôl gartref. Doedd dim 'cortège', dim ond hers gyffredin ac arch dyn tlawd, a chariwyd Jac Beti ar hyd y stryd lle'r arferai yrru. Yr oedd ffyddloniaid y Ship a Lôn y Felin yn disgwyl amdano, rhai yn crio a phawb yn drist am fod un o gymêrs pennaf y dref wedi marw.

Canmolai'r Parch. Redvers-Jones ef am iddo, yn well na neb, gadw'r gorchymyn hwnnw: 'Anrhydedda dy dad a'th fam.' Bellach does neb ond Arnold Gibson, ei gyfaill gorau, ar ôl o'r rhai a'i cariodd i fynwent y dref. Torrwyd englyn Rolant o Fôn – un arall a fu'n ffeind iawn wrtho – ar garreg ei fedd:

O'i hirnych aeth i'w siwrnai – heb ystŵr,
    Heb stoc na'r un ddimai;
   Hyd arch ei fam a barchai
   A dyna'i glod yn ei glai.

Thomas Williams, Pentregof

Un uchelgais fu gan Thomas Williams mewn bywyd, sef bod yn bregethwr Methodist. Cafodd rhyw 'din y gawod' o'r diwygiad ar ddechrau'r ganrif, ac yntau'n tynnu am ei ugain oed ar y pryd, ond fyddai o byth yn meddwl amdano'i hun fel un o blant y diwygiad chwaith. Credai fod dwy flynedd yn Ysgol Cynffig Davies yn y Borth yn llawer iawn mwy addas i'w wneud yn bregethwr na rhyw dân siafins o ddiwygiad.

Ymffrostiai hyd at syrffed iddo gyd-efrydu â rhai o bregethwyr enwoca'r cyfnod ym Mhorthaethwy. Ond gan mai'r ymffrost honno oedd yr unig beth a gafodd Tom yn yr ysgol, fe'i hanfonwyd yn brentis o saer i'r *Anglesey Trading Company* yn Llanfechell. Ychydig iawn o ôl y brentisiaeth honno a welwyd arno hefyd, ac eithrio iddo brynu odid pob erfyn i bwrpas y grefft.

Mae'n deg dweud nad oedd Thomas Williams yn hollol yr un fath â phawb arall; yn wir, yr oedd ynddo rhyw odrwydd rhyfeddol. Mae gan Dafydd ap Gwilym gwpled da sy'n ei ddisgrifio i'r dim:

> Ni wŷr gwên, un oriog yw,
> Nid edwyn mor od ydyw.

Yr oedd popeth ynghylch Thomas yn od, odrwydd a oedd yn amlwg i bawb ond iddo fo'i hun. Fyddai'r un dilledyn o'i eiddo yn ffitio. Disgynnai ei gap yn isel, isel ar ei dalcen a llithrai ei sbectol i flaen ei drwyn; dau fotwm yn lle chwech oedd ganddo ar ei wasgod; cyrhaeddai ei siaced at ei bengliniau, a chuddiai ei esgidiau (un o bob pâr fel arfer) yng nghoesau llaes a llydan ei drowsus. Dim ond careiau ei esgidiau a ffitiai'n weddol, a byddai'r rheiny ar agor yn amlach na pheidio!

Yr oedd Thomas ymhlith y rhai cyntaf i gael offer clywed; yn wir, ni fu'r fath gontrapsiwn ar ddyn erioed. Yr oedd bocs, o gryn faint, ym mhoced uchaf ei wasgod gydag olwyn fechan arno i reoli'r ddyfais. Rhedai gwifren fain ddu o'r bocs i declyn od a lanwai ei glust dde. Ar ôl ei wifrennu â'r ddyfais, fu'r un oedfa yn y capel yn hollol yr un fath i Thomas Williams – nac ychwaith i neb arall.

Yn syth ar ôl eistedd, byddai'n dechrau bodiachu'r peiriant gan greu gwich fain uchel drwy ben pawb ond Thomas ei hun. Er mwyn tawelwch, byddai rhywrai mwy gwybodus na'i gilydd yn byseddu ym mhoced ei wasgod ac yn ei glust. Fu'r fath berfformans mewn capel erioed! Heb os, bu'r cyfan yn fwy o rwystr nag o help i Tom ac i'w gyfoedion. Ond er ei holl anabledd ar gyfrif ei glyw, ei olwg a'i gloffni, llwyddodd i fyw ei fywyd yn llawn o fewn ei hanner milltir sgwâr.

Un o'i bleserau mawr oedd diwrnod y trip Ysgol Sul. Fyddai dim i'w gael ganddo am wythnosau ddechrau haf ond y trip i'r Rhyl; yr oedd llawer iawn o'r plentyn yn dal ynddo. Byddai ei chwaer yn galw heibio i'r gweinidog (a fi oedd hwnnw!) noson neu ddwy cyn y trip, gyda'i gorchymyn yn hytrach na'i chais,

'You will look after my brother during the trip; he thinks the world of you.' A hithau'n weddw i Gapten milwrol

credai Sarah Wright, chwaer Thomas, y dylai arddel ei iaith bob amser, fel arwydd o barch i'w gŵr.

Uchafbwynt pob trip i Tom fyddai pryd da o fwyd ac ymweliad â Woolworth. (Fu ganddo ddim i'w ddweud wrth y Llyn Plesera ers iddo syrthio o'r cwch a hanner boddi rai blynyddoedd ynghynt.) Yn wir, cyn cyrraedd Pont y Borth y bore hwnnw, roedd Tom yn swnian pa bryd y byddem yn cyrraedd gan ei fod bron â llwgu. Erbyn cyrraedd Pont Conwy, yr oedd ei gân wedi newid,

'Fedra i ddim dal dim mwy!' a chrebachodd i'w gilydd fel stwffwl nes cyrraedd y Rhyl.

Yno, aeth y Saint i gyd o'r tu arall heibio gan adael y gweinidog, yn unol â gorchymyn ei chwaer, i ofalu am Thomas Williams. Bu damwain 'gerllaw y ffynnon', fel 'tae, ond wedi ymryddhau o'i ddolur aethom ein dau i gaffeteria mawr – ei ymweliad cyntaf â'r fath le. Rhois hambwrdd iddo ac egluro y câi ddewis o'r danteithion. Cerddasom yn araf, rhai yn arafach na'i gilydd wrth fygwth ailfeddwl. Diolch i'r drefn, yr oedd fy nghymar yn dawel a bodlon o'r tu cefn imi. Yn ôl y gorchymyn, yr oeddwn i dalu dros Thomas Williams wedi cyrraedd y dalar, a gofynnais am ddwy baned o de gan egluro wrth y ferch fy mod yn talu drosom ein dau.

'Isn't your friend having anything to eat?' gofynnodd y ferch yn betrus. Mi drois yn ôl i edrych a dyna lle'r oedd Tom, ei blât yn wag, blotyn mawr o hufen ar flaen ei drwyn a jam coch yng nghil ei geg. 'Gwyn eu byd y rhai diniwed; enillant bryd am ddim!'

Collais ef y foment yr aethom drwy ddrws Woolworth. Fe'i hyrddiwyd i ganol y môr o bobol ac yntau'n hanner dall, yn fyddar bost ac yn gloff o glun. Pa obaith fyddai inni gwrdd â'n gilydd? Brefai Tom druan fel oen llywaeth yng nghanol y dorf ddi-hidio.

'Welsoch chi'r gweinidog?' gofynnai, fel pe bawn i'r unig weinidog mewn bod. Synhwyrodd rheolwr y siop y byddai'n rhaid symud y dieithryn mor ddiseremoni ag y bo modd. Hebryngwyd Thomas, gerfydd ei adain, i swyddfa foethus yn y cefn. Mewn dim o dro clywyd neges dros yr uchelseinydd fod dyn oedrannus yng ngofal y staff a'i fod yn galw am 'a man of the cloth' a oedd yn gofalu amdano. Yr oedd Thomas ar ddiffygio ac mewn cyflwr ffwdanus. Wrth gerdded oddi yno teimlwn mai hefo'r dyn oedrannus, ac nid hefo'r brethyn, yr oedd cydymdeimlad pawb o siopwyr Woolworth y pnawn hwnnw.

Ond rhyw sgil-gynnyrch crefydd oedd trip Ysgol Sul yng ngolwg Thomas Williams; wedi'r cwbwl yr oedd ei fryd a'i feddwl ar fod yn bregethwr – un mawr. Gan fod ei enwad ei hun mor ddidaro ynglŷn â'i symbylu 'mlaen, rhoes ei enw i'r enwadau eraill. Chwarae teg i'r Wesleaid, rhoesant addewid pendant i Thomas y byddent yn galw arno i lenwi'r bwlch pe bai unrhyw un o bregethwyr y plan yn methu â chadw'i gyhoeddiad.

Yn wir, fe ddaeth galwad yn hwyr un nos Sadwrn o Fethania, Tregele – un o gapeli lleiaf yr enwad ym Môn. Gan fod pregethwr y Sul yn wael, tybed a fyddai Thomas yn rhydd i ddod? Wedi datgan ei ofid a'i gydymdeimlad â'r pregethwr gwael, sicrhaodd Tom y byddai yno yn brydlon am chwech nos drannoeth. Daeth yr awr a gwelwyd Thomas Williams yn y pulpud. Rhedai'r gwasanaeth yn esmwyth, a dim bai Thomas oedd y canu coch a gwael er y gallasai fod wedi dewis emynau a thonau ysgafnach i gynulleidfa o bump, mae'n wir. Cychwynnodd y bregeth ar nodyn uchel a thanllyd. Gwyddai Tom sut i diwnio hen ddawn Sir Fôn. Ond darfyddodd y gwair rhaffau yn sydyn reit. Safai Thomas yn fud! Cofiodd am y falf ddiogelu mewn argyfwng fel hyn,

'Mae'n drist meddwl, fy mhobol, fod Thomas Charles wedi mynd ... Mae John Williams wedi mynd ... A dweud y gwir tydw inna ddim hanner da heno, chwaith. Clod i'w enw. Amen.'

Cyn i Thomas Williams roi'r ffidil yn y to ynglŷn â'i freuddwydion mewn bywyd, agorodd drws arall. Yr oedd Capel Bethesda am godi rhagor o flaenoriaid a daeth gweinidog y Garreg-lefn, Teifigar Davies, cyfundebwr selog, i arolygu'r gwaith. Yn anffodus, gan fod Tom mor drwm ei glyw, doedd o ddim yn siŵr a oedd wedi ei ddewis ai peidio, ac wedi cyhoeddi'r canlyniad bu egwyl o ddistawrwydd a dorrwyd gan gwestiwn uchel Tom,

'Ydw i wedi fy newis?'

Cafodd wybod y gwaethaf cyn mynd adref y noson honno. Bnawn trannoeth aeth Thomas ar ei daith i'r Garreg-lefn; mynnai wybod pa mor agos fu'r bleidlais. Croesawyd ef i'r tŷ gan y gweinidog ac fe'i gwahoddwyd i eistedd, ond cyn eistedd saethodd Thomas ei gwestiwn,

'Pa mor agos oeddwn i neithiwr i gael fy ethol yn flaenor?'

Meddai Teifigar Davies yn uchel yn ei glust,

'Fedrwch chi gadw cyfrinach, Thomas Williams?'

Dyma wawr o'r diwedd! Eisteddodd Tom a chraffu ar y gweinidog fel y medrai ddarllen ei wefusau,

'Medraf siŵr,' meddai.

'Mi fedra innau hefyd,' meddai'r gweinidog!

Er yr holl siomedigaethau a gafodd, pan oedd ar derfyn y

daith ac yn troi ei naw deg oed canfu Thomas nod arall i ymgyrraedd ati – cyrraedd ei gant oed! Mi fyddai rhaid i'r byd a'r betws wneud sylw ohono wedyn, hyd yn oed y Frenhines ei hun. Fel pob hynafgwr doeth aeth ati i wneud ei ewyllys. Bu ganddo ewyllys lafar ers blynyddoedd lawer, pan gafodd ddamwain egr ar y ffordd fawr. Prifathro'r ysgol oedd y buddiolwr bryd hynny, ond bu ef farw yn y cyfamser. Aed ati i wneud ewyllys arall, un lafar fel y llall, a'r gweinidog oedd y buddiolwr a'r ysgutor y tro hwn.

Yr oedd cynnwys yr ewyllys yn hynod o syml; yn ôl ei destament olaf byddai'r gweinidog yn cael ei holl eiddo, yn cynnwys arfau'r saer, ynghyd â'r rhai a fenthyciwyd gan yr athro ond nad oeddent wedi eu dychwelyd. Ail eitem yr ewyllys oedd cyfrol Cynyddol Jones, *Athrawiaeth yr Iawn*, mewn cyflwr afiach. Yr oedd awgrym ar ddiwedd yr ewyllys y dylai'r gweinidog ddechrau paratoi ei deyrnged iddo mewn da bryd, a holai'n barhaus amdani gan awgrymu beth ddylai ei gynnwys. Cafwyd ambell awgrym cynnil,

'Mi soniwch amdana i fel pregethwr, debyg; mae pob croeso i chwi sôn fy mod i wedi cael te hefo John Williams lawer gwaith. Rhag ofn na fydd pobol yn cofio, dudwch y bûm i yn ysgol Cynffig Davies.'

Welodd Thomas Williams, Pentregof, mo'i gant oed. Bu farw ar 22 Mai, 1979 yn 98 oed, er y byddai'n siŵr o ddadlau ei fod yn naw deg naw. Yn wir, er iddo ddarogan y byddai yno gynulleidfa gref ar y llofft ac ar y llawr, rhyw gwta dri dwsin oedd yno yn anffodus. Claddwyd Thomas ar y diwrnod yr agorwyd pont newydd Britannia i'r byd gerdded drosti, ac aeth pobol Môn a phobol Cemais i'r Borth y diwrnod hwnnw.

Yn ei deyrnged, fe gyfeiriodd y gweinidog at achlysur hanesyddol agor yr ail bont o Fôn i Arfon. Soniodd hefyd am un arall a groesodd i'r ochr draw'r pnawn hwnnw, gan fawr obeithio y câi ei freuddwydion diniwed eu gwireddu yno hyd yn oed os na ddigwyddodd hynny'r ochr yma!

Hugh Bodfeddan

Tybed ai Hugh Rowlands, Bodfeddan, oedd y 'cawr' cyntaf i sgwennu stori ei fywyd, ac nid Dafydd Iwan yng 'Nghyfres y Cewri'? Bellach y mae llyfrynnau Hugh Rowlands ymhlith 'llyfrau prin' Llyfrgell y Brifysgol ym Mangor, a byddai'n falch o feddwl fod ei gwynion ynglŷn â diffyg cyhoeddusrwydd, a phob cam dybryd a gafodd yn ystod ei fywyd helbulus, yn cael sylw. Er bod dros gan mlynedd ers iddo gyhoeddi ei stori, mae iddo le sicr yn oriel y rhai hynny a gaiff eu galw yn 'gymeriadau'.

Roedd ei rieni, Hugh a Cathrin Rowlands, yn aelodau o un o deuluoedd parchusaf Ynys Môn. Yn ôl Hugh yr oedd dau beth yn gwneud teulu'n barchus ym Môn yn yr oes honno – bod yn gyfoethog iawn a bod yn ofalus o'r tlodion. Yr oedd ei dad yn ffermwr cefnog iawn a'i fam yn rhannu mwy i'r tlodion na neb o'r ynys.

Credai Hugh iddo gael mwy na'i siâr o golledion ac o glefydau yn ystod ei fywyd. Cafodd un ar bymtheg o wahanol glefydau cyn iddo droi ei ddeugain oed; torrwyd asgwrn ei ben gan ddyn meddw yng ngorsaf Tŷ Croes; rhoddwyd ef mewn carchar ddwywaith am redeg dyledion ac unwaith am drio lladd dyn, a bu yn y Gwallgofdy yn Ninbych am bum mis. Dyna ddeunydd bywyd rhamantus, os nad rhyfygus, yn siŵr! Ond y mae Hugh yn ein rhybuddio ar ddechrau'r stori y bydd yn cyhuddo ac yn enwi'r bobol ddrwg hynny a fu'n gyfrifol am ddwyn y fath loes a blinder iddo gydol ei oes. Gwna hyn – y cyhoeddi a'r condemnio – ar sail y ddau Destament, sy'n gwneud yr un peth yn gywir i ddrwgweithredwyr.

Gan fod Hugh y seithfed o un ar ddeg o blant, bu'n rhaid iddo, ar farwolaeth ei dad, droi allan i weithio. Dewisodd yntau – fel sawl mab fferm o Fôn yn y cyfnod hwnnw – fynd yn borthmon moch. Hugh a brynai'r moch ar hyd a lled yr ynys a byddai ei bartner yn eu gwerthu yn Lerpwl. Ond synhwyrodd Hugh Rowlands yn fuan iawn fod ei bartner yn fwy hoff o ferched y ddinas honno nag o'r moch, ac o ganlyniad fe aeth yr hwch drwy'r siop gan ei adael yn golledwr.

Er y colledion, fe ddaliodd ati gan amrywio ei brynu a lledaenu ei derfynau. Aeth dros y Fenai i Arfon, a thra yno wrth ei ddyletswyddau yn porthmona, daeth i Dŷ Mawr, Llanddeiniolen, lle cafodd groeso mawr ar yr aelwyd, a'i draed dan y bwrdd. Mae'n amlwg mai gweddw ifanc John Humphreys oedd yr atyniad iddo yn fwy na'r stoc, ac mewn dim o dro yr oeddynt wedi priodi.

Roedd John Humphreys, ei diweddar ŵr, yn hanner brawd i stiward Stad y Faenol, a deuai elw da i'r teulu yn cario llechi o'r chwareli i lawr i'r Felinheli ond collwyd yr holl elw yma pan fu farw John Humphreys. Bu cryn newid mewn masnach hefyd a syrthiodd prisiau'r grawn. Er y wasgfa, mynnai ei wraig fyw ar yr un gwastad, yn foethus a gwastraffus. Fu erioed aelwyd fwy gwastraffus yn ôl Hugh. Prynent eu dillad yn un o siopau drutaf Caernarfon, siop Selina Owen a oedd bellach yn briod â David Jones, Treborth – brawd i'r pregethwr enwog hwnnw, John Jones

Tal-y-sarn. Ond prisiau'r dillad, nid maint y pregethwr, a boenai Hugh Rowlands. Porthmonai Hugh yn ôl a blaen i Loegr a châi fesur da o lwyddiant – ond pa lesâd, a'i wraig a'i phlant o'i phriodas gyntaf mor wastraffus?

Wedi treulio deuddeng mlynedd yn Nhŷ Mawr a phawb o'r teulu yn ei bluo, ceisiodd berswadio'i lysferch i gymryd tenantiaeth ei chartref gan Stad y Faenol oddi wrtho, er na fu hynny'n fawr o ryddhad iddo. Yr oedd ei arian yno yn Nhŷ Mawr, a dim ond addewid y ferch i'w dalu allan. Ar sail hynny y prynodd wartheg Thomas Elias, Plas-y-Glyn, Sir Fôn, ond chyflawnodd merch Tŷ Mawr mo'i haddewid. O ganlyniad, fedrai Hugh ddim talu am y gwartheg. Carcharwyd ef yng Ngharchar Caernarfon. Aeth pethau o ddrwg i waeth iddo a gofynion ariannol y teulu allan o'i gyrraedd. Rhoes y carchar ben ar y cyfan.

Bellach yr oedd, yn ôl ei dystiolaeth ei hun, 'fel aderyn bach' heb le i roi ei ben i lawr. Roddai neb yn Nhŷ Mawr yr un ddimai iddo ond cafodd fenthyg grôt wen gan Griffith, Coch Hir, mab yng nghyfraith Tŷ Mawr, ac aeth i'w daith a chyrraedd ffair Llangefni lle cafodd chweugain gan ei chwaer am werthu ei chaseg. Buan y sylweddolodd nad oedd neb o'r teulu, na neb arall chwaith, ei eisiau. Daeth ffit grefyddol drosto – byddai digon o oedfaon pregethu, Sul, gŵyl a gwaith, ym Môn – ac aeth i Gapel y Gaerwen i wrando ar David Jones, Treborth, yn pregethu'n rymus tu hwnt.

Ond yr oedd ysfa'r porthmon yn dal ynddo a dechreuodd brynu tatws hyd y sir a'u hanfon i ddinasoedd fel Caer i'w gwerthu. Cafodd lety digon cysurus yn y Caban Bach, tafarn yn agos i Aberffraw, a bu yno am bum mlynedd. Bu'n ffyddlon iawn i Seiat yr Hen Gorff yng

Nghapel Soar a sylweddolodd ei bod o fantais fawr i'w fusnes ei fod yn perthyn i'r Methodistiaid! Symudodd i Fryn-du i aros gyda mam y Parch. William Williams, er mwyn bod yn fwy canolog i'w libart prynu tatws.

Gan fod gorsaf drên wedi agor yn Nhŷ Croes a Bodorgan erbyn hynny, gwelodd gyfle i gychwyn gwerthu glo yn ogystal, gan fod mynd da arno yn Sir Fôn. Yr oedd ganddo ddau ddyn yn ei helpu, un ym Modorgan a'r llall yn Nhŷ Croes. Ond rhai hynod o ddi-drefn ac anonest fu'r ddau hyn – Owen Robinson a Robert Jones – a bu'r busnes glo eto yn gryn golled a bu'n rhaid ei ddirwyn i ben. Aeth yn fater llys yng Nghaergybi ac, er ei fod y tu iawn i'r gyfraith y tro hwn eto, gwrthododd Hugh â thyngu llw ar sail ei argyhoeddiadau crefyddol! Ond dan fygythiad carchar talodd i glirio dyled y banc, er nad ef oedd yn gyfrifol.

Aeth y tatws a'r glo i ffordd yr holl ddaear, a'i adael heb ddim. Troes pawb eu cefnau arno, gan gynnwys ei deulu ei hun. Crwydrai'r ynys yn cardota, 'ac ni roddodd neb iddo'. Teimlai gywilydd ei fod ef, mab Bodfeddan, yn y fath gyflwr!

Ar ei daith cafodd hanner coron gan ei gefnder yn y Gorslwyd ac un arall gan Richard Williams, Cleifiog Fawr, ei ewythr, a phob amarch i'w ganlyn. Bu am noswethiau heb do uwch ei ben na bwyd i'w gynnal a chydnabyddai ei fod ar fin colli ei bwyll. Penderfynodd yr ymprydiai, gan fyw ar ddŵr a halen yn unig am agos i ddeugain niwrnod. Tosturiodd Mary Owen, Pencarnisiog, wrtho a chafodd lety ganddi yn Llain y Delyn; synhwyrai y byddai ymprydiwr o letywr yn rhad iawn iddi! Ond pan oedd pethau ar eu gwaethaf yn hanes Hugh fe ddaeth ymwared.

Rhoes ei chwaer o Dŷ Croes, Llanfachraeth, ddwy bunt iddo a bu Evan Rowlands, ei frawd, farw a gadael pedair punt a deugain iddo. Mynnai Elen, ei chwaer, gadw llygad ar ei ffortiwn a hi a brynai ddillad ac anghenion eraill iddo.

Fel hyn y bu hi ar Hugh Rowlands – 'cael ei daflu o don i don, nes ofni bron cael byw.' Pan ddeuai'n hindda arno, dyna pryd yr oedd mewn mwyaf o berygl, gan y mynnai roi ei big ym mrywes pobol eraill a chael ei hun mewn gwaeth sefyllfa nag ar y dechrau.

Tosturiai Hugh yn fawr wrth giwrat i berson Llanfaelog am ei fod yn cael ei weithio fel ci, ond cafodd gyfle i dalu'r pwyth yn ôl i'r person. Yr oedd merch hwnnw wedi syrthio mewn cariad â ffermwr, Mr Jones, Tan y Bryn, Llanfaelog – pechod anfaddeuol! Pan aeth y person oddi cartref ar ei dro gadawodd y tŷ yng ngofal y merched a'r morynion. Y canlyniad fu iddynt wahodd llanciau ifanc y fro i swper. Wedi noson ragorol aeth pawb gartref yn ddigon parchus, heblaw am y ffermwr o Lanfaelog – bu ef yno drwy'r nos yn gwmni i Miss Williams. Cafodd y person yr hanes i gyd pan ddychwelodd a ffromodd yn arw, ac yn ei wylltineb fe chwipiodd ei ferch yn ddidostur gan dorri pedwar o'i dannedd. Fe'i caeodd mewn ystafell dywyll am bedwar diwrnod heb damaid na llymaid, wedyn gorfodwyd hi i chwynnu a glanhau'r rhodfeydd o gwmpas y tŷ.

Trefnodd Miss Williams ddihangfa o'r fath garchar gyda chymorth un o'r gweision; daeth ei chariad, gyda cheffyl a gìg, ar amser penodol pan fyddai'r teulu'n cadw dyl-etswydd deuluaidd. Neidiodd Miss Williams o ffenestr ei llofft i freichiau cadarn y gwas a rhoes yntau hi i ofal ei chariad. Daliwyd y trên yng Nghaergybi ac i ffwrdd â'r ddau am Benbedw. Pan sylweddolodd y person beth oedd ar droed, anfonodd deligram o Orsaf Bangor i dair ar ddeg o'r gorsafoedd ar hyd eu taith i geisio atal y trên, ond yn ofer. Er hynny, mynnodd y tad dialgar ei ffordd a llwyddodd i roi ei ferch ei hun mewn gwallgofdy am weddill ei hoes.

Bu hyn yn ormod i Hugh Rowlands. Anfonodd lythyr at Esgob Bangor yn disgrifio'r driniaeth a roes person Llanfaelog i'w ferch ei hun. Ffromodd y person unwaith eto wrth feddwl bod rhyw gardotyn fel Hugh Bodfeddan, o bawb, yn troi'n farnwr ar ŵr o'i safle ef, ac yn anffodus cafodd Hugh druan brofi ei ddialedd maes o law.

Yn y cyfamser, rhoes ei fys ym musnes rhywun arall. Yr oedd sôn a siarad yn ardal Ceirchiog fod John Evans, Fferam, yn cadw tŷ gyda'r forwyn ac, yn ôl rhai, yr oedd sawl stori amheus arall yn gysylltiedig â'r holl beth. Anfonodd Hugh lythyr cas rhyfeddol at John Evans yn ei gyhuddo o droseddau ffiaidd yn ei berthynas â'r forwyn. Pan gyfarfu'r ddau ar gae Bodrwnsiwn dechreuodd John Evans beltio Hugh hefo cerrig ond llwyddodd i ddianc yn ddianaf rhag ei gynddaredd. Mynnodd Hugh ddod ag achos yn ei erbyn am y fath drosedd a threfnwyd gwrandawiad yn Y Fali, ond llwyddodd John Evans i gael y blaen ar Hugh a chofnododd gŵyn iddo geisio ei ladd â chyllell. Mae'n debyg y buasai wedi llwyddo hefyd oni bai fod John Evans yn cario Testament chwe modfedd wrth wyth arno; hwnnw a'i amddiffynnodd gan i'r gyllell fynd drwy bum deg pedwar o dudalennau! Er i Hugh ddadlau ei achos orau y gallai, gan dystio na ddarllenodd John Evans erioed ei Feibl heb sôn am gario Testament ar ei berson, collodd yr achos a dedfrydwyd ef i bythefnos o garchar, gyda llafur caled, ym Miwmares.

Yr oedd y Parchedig Pool, person Aberffraw, yn un o'r Ustusiaid a wrandawai'r achos. Cofiodd i Hugh, beth amser ynghynt, anfon llythyr at esgob Bangor i'w hysbysu fod person Aberffraw yn feddw gaib ar y stryd ac yn warth ar yr Eglwys oherwydd hynny. Pa obaith oedd gan Hugh felly?

O ddeall fod Hugh Rowlands yng ngharchar Biwmares, anfonodd person Llanfaelog yntau air at berson Biwmares i'w hysbysu sut gymeriad oedd Hugh, gan iddo ef ei hun gael ei gyhuddo o ymosodiad ar fywyd a'i ddedfrydu o'i herwydd. Daeth y neges i'r carchar, ac o ganlyniad cafodd Hugh Rowlands ei drin yn ddidostur a'i gadw ar fara a dŵr. Oherwydd yr holl adroddiadau anffafriol, anfonwyd Hugh i Wallgofdy Dinbych, a bu yno am bum mis.

Manteisiodd ar y cyfle hwn i ddarllen ei Feibl a chasglodd ddigon o saethau i saethu pob heddgeidwad a phob pharisead a berthynai i'r Hen Gorff! Erbyn diwedd ei oes yr oedd Hugh Rowlands yn gignoeth ei feirniadaeth o bregethwyr yr Hen Gorff. Credai mai nhw oedd yn gyfrifol am gyflwr anfoesol Môn, a barnai nad oedd ond un o bob pump o'r aelodau yn cadw dyletswydd bob bore erbyn 1874.

Yn ôl damcaniaeth Hugh, yr oedd mwy o wario ar faco yn Sir Fôn nag o gyfrannu i'r tlodion, ac yr oedd pregethwyr yr Hen Gorff yn euog o osod esiampl wael yn hyn o beth, meddai. Yr oedd lawn pwysicach i gael baco a phibell ar gyfer pregethwr y Sul nag i gael cig i wneud cinio iddo, a byddai darpariaeth ar eu cyfer ym mhob capel er mwyn iddynt borthi eu chwant mewn cyfforddusrwydd ar ddydd yr Arglwydd. Dywedai Hugh ymhellach eu bod yn ddiog tu hwnt – yn rhy ddiog i gerdded o Walchmai i Dothan at oedfa'r pnawn, a bod rhaid cael ceffyl a gìg wrth ddrws y tŷ capel i'w cario filltir a hanner o daith. Arwydd arall o'u diogi, meddai, oedd yr aent o gapel i gapel dros yr Ynys gyda'r un bregeth! Credai i rai ohonynt bregethu'r un bregeth gymaint â dau gant o weithiau ac fe'u collfarnai am dderbyn cyflog am eu gwasanaeth hefyd.

Ond o'i holl ddamcaniaethau, y fwyaf beiddgar a rhyfygus oedd iddo gredu fod yr Hen Gorff yn gwario arian y genhadaeth i brynu tai yn Lerpwl a'u gosod i buteiniaid parchus!

A dyna ichi stori gythryblus bywyd Hugh Bodfeddan, felly. Fel y cydnebydd, 'aeth neb trwy fwy o brofedigaethau mewn bywyd na mi.'

Gadawn i Bantycelyn gael y gair olaf:

> Ganwaith ddrysodd mewn rhyw rwydau,
> Rhwydau weithiodd ef ei hun.

Ŵan Plas y Brain

Dyn beic oedd Owen Jones; welid fyth mohono hebddo, na'r beic heb Ŵan. Cwmanai'n drafferthus i yrru'r beic, a'i gôt yn llydan agored ac yn fflapio fel adenydd gŵydd yn cael ei hymlid. Tynnai ei gap i lawr i gyffwrdd â'i eiliau a'i big seimllyd yn cydredeg â'i drwyn. Byddai clamp o stwmp sigarét yn balansio rhwng ei wefusau, gyda chymaint yn ei geg ag a ymddangosai y tu allan. Teithiai hyd ffyrdd culion a throellog yr ardal, yn chwilio am gyfle i ddod o'r sadl am sgwrs pan welai fforddolyn. Yr oedd sgwrsio yn anadl einioes iddo. Cornelai ei brae rhwng y beic a'r clawdd, a dyna orig o sgwrs ddiddan ac atgofion difyr.

Yn y blynyddoedd olaf tueddai'r atgofion i fynd yn ôl i Garreg-lefn, lle y'i magwyd hefo'i daid a'i nain, yn debyg iawn i gyw gŵydd a fagwyd hefo iâr, a honno'n clegar ar y lan ag ofn yn ei chalon i'r cyw fynd i'r dŵr! Ond cafodd fagwrfa dda ryfeddol a medrai ddarllen fel person cyn mynd i'r ysgol erioed. Byddai sesiwn o ddarllen adnod o'r Beibl bob yn ail â'i nain yn y cartref bob nos. Yr oedd Owen, ei daid, yn ddyn reit dalentog a gallai ddadlau ar unrhyw bwnc, yn enwedig gwleidyddiaeth a diwinydd-iaeth. Gan ei bod hi'n oes dlawd, fe ddysgodd Ŵan fyw yn fforddiol a darbodus ac ymffrostiai ym medr ei nain i wneud tamaid o fwyd mor flasus hefo cyn lleied at ei llaw. Gwnâi ginio Sul rhyfeddol hefo pen dafad ac iau bob yn ail â chwningen, a hwnnw oedd prif bryd yr wythnos.

Wedi 'ysgol feithrin' dda hefo'i nain, yr oedd Ŵan Jôs yn barod iawn i fynd i'r ysgol ddyddiol yn bump oed. Hen ddyn mawr brwnt oedd Dafis y Sgŵl a gadwai lond cwpwrdd o wiail i guro'r plant. Defnyddiai'r wialen fain i gosbi'r troseddwyr gwaethaf, a'r wialen fferf i droseddau llai. Yr oedd yr olwg ar y Sgŵl yn ddigon i godi ofn ar y dewraf; yr oedd mor fawr, a thrwch ei locsyn du yn cuddio'i wyneb. Ond yr oedd gan Dafis fwy o ddiddordeb yn ei fferm ym Mryn Pabo na mewn addysg. Ar bnawn Gwener byddai'n didoli'r plant yn ddau ddosbarth, y cantorion yn un a'r angherddorol yn y llall. Câi'r cerddorion wers i feistroli Sol-ffa a Hen Nodiant drwy'r pnawn, tra byddai'r lleill yn ei slafio hi ym Mryn Pabo hefo caib a rhaw. Yn rhyfedd iawn, yn nhyb y Sgŵl, doedd yr un bachgen cyhyrog a chryf yn ganwr!

'Pwy a ŵyr,' meddai Ŵan Jôs, 'na faswn innau yn Fryn Terfel pe bawn i wedi 'ngeni ym Mhant-glas?' Dafis hefyd a gâi'r bai gan Ŵan am iddo, er yn blentyn, smocio baco shag Amlwch drwy'i oes faith. 'Beth arall a welais i gan y prifathro?' meddai. 'Onid oedd yntau'n smocio shag fel tyg-bôt ar hyd y dydd?'

Aeth Ŵan, fel y bechgyn eraill, i 'weini ffarmwrs' wedi gadael yr ysgol, ond yr oedd gormod o ddylanwad ei daid arno i aros yno'n hir. Crwydrodd i chwilio am waith ar Lannau Merswy a bu yno am rai blynyddoedd, wedi'i drwytho mewn Undebaeth a sosialaeth y Blaid Lafur.

Dychwelodd i Fôn gyda'i wraig Lydia Griffiths, merch o Lyn Ceiriog a gem o wraig, ac ymgartrefodd y ddau yn y

Dryll, Rhos-y-bol. Ar ôl pum mlynedd yn y Dryll cawsant dyddyn mwy o faint ym mhlwyf Llanfechell, sef Plas y Brain, ac yno y buont weddill eu dyddiau.

Magodd Owen Jones fuches ddu Gymreig nodedig iawn o'r enw 'Asgar'. Yn ystod y rhyfel cafodd hanes buwch ddu Gymreig yn Nhrawsfynydd, ond sut yr âi yno a phetrol mor brin? Cytunodd dau o'i gymdogion, Hugh Hughes, Rhyd y beddau, a Richard Jones, Pen-y-groes, i fynd hefo fo. Casglwyd pob cwpon petrol drwy'r plwyf ond yr oeddynt yn dal yn brin i gyrraedd i Feirion ac yn ôl. Doedd dim amdani ond i Ŵan fynd draw at Currie Hughes, perchennog y garej yn Llanfechell, a chyflwyno'i achos mor effeithiol ag oedd modd. Bu wrthi'n hir yn ceisio perswadio gŵr y garej i roi mwy o betrol na gwerth y cwpons iddo ond torrodd Currie ar ei draws ar ucha'i lais,

'Arglwydd annwyl, Now! Be 'di dy feddwl di dŵad? Mi elli di yrru dyn gonest fel fi i'r jêl am weddill fy nyddia. Chwilia am fuwch yn rhywle'n nes na Thrawsfynydd. Nefoedd annwyl, tasa hi'n fuwch wen, be ddiawl ydi'r ots a hithau'n rhyfel!'

Methiant fu'r genhadaeth i bob golwg! Ond, wrth chwilio am y drws i fynd allan, cofiodd Ŵan am un o wendidau dyn y garej. Trodd ei ben tuag at Currie Hughes,

'Fedrat ti wneud hefo ceiliog iâr parod i'r popty, Currie, a rhyw bwysyn o fenyn cartra?' holodd yn reit ddidaro. Synhwyrodd Currie aroglau'r ceiliog yn dod o'r popty.

'Tyrd yma'n reit fora, Ŵan, a phaid ag agor dy geg wrth neb. Cofia!'

Prynodd Owen Jones y fuwch ddu a chafodd ei ddau gymydog lo tarw a heffar; cerddwyd y stoc i Stesion Ffestiniog a chyrhaeddodd y trên hen stesion enwog

Rhosgoch cyn iddi nosi. Onid i'r stesion yma y daeth Evan Roberts, y Diwygiwr, am y waith gyntaf i Fôn, pryd y bu'r fath rwysg wrth ei hebrwng i'r Wylfa? Fu fawr o rwysg wrth dywys y gwartheg duon Cymreig i'w cartrefi newydd ac fe'u daliwyd gan y nos cyn cyrraedd pentref Llanfechell. Roedd un o'r tri thywyswr yn cerdded ar y blaen, yn cario lantarn i rybuddio'r neb a ddeuai o'r perygl. Ond wrth groesi sgwâr y Llan dyna gar di-frêcs, cwbwl ddireol, yn wynebu'r gwartheg duon, a hawliai well na thri chwarter y ffordd. Gloywodd y fuwch drwy'r adwy gul a oedd, yn ôl Hugh Rhyd y beddau, yn rhy gul i grîm-cracyr ar ei hochr fynd trwyddi, ond mi aeth! Er yr holl helyntion, daeth y fuwch o Drawsfynydd bell yn aelod gwerthfawr o urdd y 'Fuches Asgar'.

Fe gyrhaeddai diddordebau Ŵan Jôs ymhell y tu hwnt i derfynau'r tyddyn. Bu'n ffyddlon a chefnogol i bob gweithgaredd diwylliannol a bu'n aelod gwerthfawr o'r Cyngor Plwyf ac yn aeddfed ei farn mewn dosbarth nos ac Ysgol Sul. Cafodd yr Arglwydd Cledwyn o Benrhos ynddo ei gefnogwr mwyaf eiddgar yn yr etholaeth a darllenai'r *Observer* drwy'r wythnos gan bwyso a mesur pob gair ynddo.

Bu hefyd, er cryn syndod, yn sarjant yn yr Home Guard. Yr oedd yn fwy o syndod fyth i Ŵan ei hun gan nad oedd, yn ei eiriau ei hun, 'erioed wedi gafael mewn reiffl, ac mi wyddwn bopeth am datws Homgard ond wyddwn i ddim am y Gwarchodlu Cartref!' Ond fe'i dyrchafwyd yn sarjant go iawn, hefo tri stribed ar ei fraich dde.

I awdurdod yr Uwch-gapten Carpenter a Sarjant Jones – 'known as Plasi' – yr ymddiriedwyd Gwarchodlu Llanfair-yng-Nghornwy. Heb os, mi fyddai'r Uwch-gapten o'r Garreglwyd yn gweddïo bob nos am fod mewn rhyfel go iawn yn wynebu gelyn go iawn, yn hytrach na cheisio gwneud sowldiwrs 'of these stupid lot.' Doedd Dad's Army ddim ynddi hefo'r gatrawd hon o gornel Ynys Môn! Cerddent fel ffermwyr a chareiau eu hesgidiau yn chwipio ar agor fel cynffonnau buchod ar des, ac roedd yn amlwg nad oedd yr un ohonynt wedi rhedeg ers dyddiau eu plentyndod.

Ond fe gawsant hwythau eu hawr fawr. Cynhelid cystadleuaeth dan nawdd y Gwarchodlu Cymreig i gatrodau'r Sir ar y traeth ym Mhenmon. Mewn modd nas gŵyr neb, nac aelodau'r tîm ychwaith, fe gyrhaeddodd tîm Llanfair-yng-Nghornwy y rownd derfynol. Yr oedd y peth yn ddirgelwch llwyr i'r Uwch-gapten Carpenter ac fe'i câi hi'n anodd iawn i guddio'i deimladau.

Gorymdeithiai aelodau tîm Caergybi ymlaen at y llinell yn debyg i filwyr arfog a phob bwcwl ar eu boliau yn disgleirio, a churai'r dorf eu dwylo wrth weld eu symudiadau proffesiynol a milwrol. Yna daeth tîm Llanfair ymlaen, yn sŵn sibrydion coeglyd y dorf, gan gario eu gynnau fel picffyrch a'u paciau fel sachau blawd, eu coesau'n geimion a'u breichiau'n llipa. Yna, dyna'r alwad iddynt saethu! Taniodd pawb mewn cytgord perffaith a phob un yn taro'r canol. Daeth bonllef o gyfeiriad y dorf a throdd un o'r gatrawd at Ŵan Jôs,

'*Bull's eye* i bawb, Sarj! Mi fydd rhaid inni gael rhywbeth cryfach na lemonêd o din yr hen Garpenter heno!'

Bu'n rhaid i Gapten tîm Caergybi longyfarch yr Uwch-gapten Carpenter a'i dîm, er mor anodd oedd hynny, a sibrydodd dan ei ddannedd, gyda pheth rhyddhad, wrth Carpenter,

108

'All your men are bloody poachers!'
Ac meddai Ŵan Jones, y tyddynnwr o Sarjant,
'That's very, very true.'

Owen Saith Llathen

Rydym ni'n ddigon cyfarwydd â'r dywediad hwnnw 'heb fod llawn llathen' – defnydd ffigurol o fesur cyffredin. Y mae bwthyn bach ym Mryn-du sy'n saith llathen, a chyfeirid at ei denant fel Owen, Saith Llathen. Llefnyn saith mlwydd oed oedd Owen pan symudodd ei rieni, Rowland a Jane Owens, o Blas Buan ar draws y lôn i Saith Llathen. Dyma ddau enw sy'n llawn ystyron. Beth tybed fyddai ystyr y gair 'buan' a gysylltir â'r plas, a beth ar y ddaear yw ystyr y 'llathen' yn y bwthyn a fu'n gartref i Owen gydol ei oes?

Nid yn unig y mae enwau'r bythynnod hyn yn ddiddorol, y mae Bryn-du ym mhlwyf Llanfaelog yn ardal hynod o nodedig hefyd ac yn frith o gymeriadau diddorol. Fe neilltua J. W. Huws bennod yn *Hanes Methodistiaeth Bryn-du* i hen gymeriadau enwog gynt – rhai ffraeth a gwreiddiol fel Siôn a Nansi Jôs, Ponc 'Rhen Efail, a William Hughes, Saith Llathen, 'y gorfoleddwr'. Yma hefyd y trigai Siani Jarman a Mari Jones, Ty'n Morfa. Dywedodd un cymeriad oddi yma fod Bryn-du yn ddigon pwysig a sbesial i gael diwygiad iddynt eu hunain.

O'r graig hon y naddwyd Owen Owens, Saith Llathen a etifeddodd lawer iawn o ffraethineb a gwreiddioldeb hen gymeriadau Bryn-du; gwelwyd arno hefyd beth o staen seiat a phulpud y lle hwnnw. Yr oedd ei dad, Rowland, yn fardd gwlad digon dygn a enillai'n gyson mewn Cyfarfodydd Cystadleuol a bu ei ddawn a'i ffraethineb yn ddylanwad ar Owen.

Hen lanc oedd Owen, yn hynod boblogaidd gan bawb ac yn bersonoliaeth annwyl. Fe'i cyferchid gan rai fel

'Owen Saith, y gwron syth.'

Yr oedd mymryn o atal dweud arno ond roedd wedi hen orchfygu'r diffyg hwnnw ac yn llwyddo i'w ddefnyddio'n gelfydd. Fedrai neb adrodd englyn dwys neu ddigri yn fwy effeithiol nag ef, a deil rhai o hyd i'w glywed yn adrodd yr englyn i'r bwgan brain, gyda'r atal dweud a thipyn bach o olew'r Queen's,

By...bygwth ni wnâi y bw...bw...bwgan – 'run o'i braidd,
    Na rh...rhoi br...bref yn unman:
'Ran hy...hynny mae rhyw anian
Yn y b...brid i ddychryn b...brân.

Dywedai Owen Saith Llathen mai'r ddiod oedd ei demtasiwn pennaf; fu neb mor llawdrwm ar ddiotwyr nag ef ac fe'i cynhwysai ef ei hun dan yr un ffonnod. Dysgodd bob englyn a fyddai'n feirniadol o'r meddwyn, a châi hwyl anghyffredin yn eu hadrodd wrth hwn a'r llall,

Gad feddwon dewrion i daeru – dadwrdd
    A dwedyd heb allu.
Dos ymaith ŵr llaith o'r llu,
Gad y diawl gyda'i deulu.

Fyddai Owen byth yn ceisio cuddio'i wendid rhag y phariseaid na'r saint. Byddai llwybrau'r gweinidog Methodist ac yntau yn croesi'i gilydd yn gyson, a gwerthfawrogai William Morris ffraethineb a gwreidd-ioldeb Owen gan fanteisio ar bob cyfle i dynnu ar y ffraethineb hwnnw pan gyfarfyddent. Gwyddai'r gweinidog am yr unplygrwydd a nodweddai ei gyfaill a byddai'r ddau yn deall ei gilydd i'r dim. Y mae stori amdanynt yn cyfarfod yn y pentref, y naill ar y ffordd o'r seiat a'r llall ar ei ffordd o'r Queen's Head. Yr oedd cerddediad y ddau yn amlwg i bawb, William Morris â'i gloffni yn hercio mynd yn bwyllog ac Owen Owens yn bur ansad ac yn gorbwysleisio pob cam. Fel arfer, ar achlysuron felly, byddai'r ddau yn bodloni ar gyfarchiad tawel a bonheddig. Ond y tro hwn, am ryw reswm, troes William Morris ei gyfarchiad yn gwestiwn rhethregol,

'Wedi'i dal hi eto heno, Owen?' Troes Owen yn hanner swil ac meddai,

'Do, achan, a finnau hefyd Mr Morris.'

Dro arall sylwodd y gweinidog fod Owen wrth ei grefft yn trin cerrig ar libart y Queen's.

'Wedi cael joban mewn lle go handi, Owen Owens,' meddai. Daeth ateb gyda'r troad,

'The right man in the right place.' Oni fyddai'r hen bregethwyr hefyd yn troi i'r Saesneg er mwyn pwysleisio ambell wirionedd – neu i swnio'n bwysicach!

Tra oedd Owen yn gweithio ar do'r dafarn un bore, daeth Mrs Hughes, gwraig y Queen's, allan hefo papur chweugain yn ei llaw a galwodd arno,

'Oes gynnoch chi newid papur chweugain, Owen Owens?' Stutiodd Owen ei ateb fel dyn wedi dychryn,

'W…w…wraig annwyl,' meddai o'r diwedd, 'pe bai gen i newid papur chweugain, rwy'n reit siŵr nad yn fama y baswn i fel jac-do!'

Ar wahân i fod yn gwsmer cyson roedd Owen yn gyfaill da i deulu'r Queen's. Yr oedd tad Mrs Hughes, William Roberts, yn cyd-fyw â'r teulu ac arferai hebrwng Owen gartref i Saith Llathen wedi amser cau, rhyw bum munud go lew o daith. Ar ôl cyrraedd parhâi'r sgwrs wrth y tŷ, ac yn rhyfeddol, rywfodd, dychwelai'r ddau yn ôl am y Queen's gydag Owen yn hebrwng William y tro hwn. Byddai Violet Hughes yn gorfod hebrwng y ddau gartref a dychwelyd hefo'i thad!

Ar un o'i deithiau o'r Queen's, cyfarfu Owen â pherson newydd y plwyf, y Parch. J. Morgan Wright. Yr oedd ei ddiwyg a'i acen yn ddieithr iawn i Owen, oedd yn bur ansad ei gerddediad y pnawn hwnnw. Gan nad oedd neb arall ar y ffordd, aeth y person yn nes ato gan holi'r ffordd i'r post. Synhwyrodd ei fod yng nghwmni dyn meddw, ac fel person newydd sbon, gwelodd gyfle i arddangos ei awdurdod yn y plwyf,

'Tydach chi ddim mewn stad i ddangos y ffordd i neb, ddyliwn; rwy'n eich gwahodd i'r Eglwys y Sul nesaf imi geisio dangos y ffordd ichwi.'

Yn iaith Sir Fôn â'i hacen lydan, dywedodd Owen wrtho,

'Hogyn da, wyddoch chi mo'r ffordd i'r post heb sôn am unrhyw ffordd arall!'

Dro arall, ceisiodd llafnau'r pentref ddychryn Owen ar ei ffordd gartref un noson. Gan fod y fynwent rhwng y Queen's a Saith Llathen, aethant i'r porth a gwisgodd un ohonynt gynfas wen laes. Clywsant gerddediad ansicr Owen Owens yn nesu a chamodd y llanc yn y gynfas i'w lwybr.

'Pwy wyt ti?' holodd Owen, braidd yn grynedig.

'Fi ydi'r diafol sy'n byw ymhlith y beddau!' meddai'r llais oddi tan y gynfas.

'Wel, taw â deud.' meddai Owen, 'Tyrd adra hefo mi; rwy'n byw hefo dy chwaer!'

Yr oedd gefail y gof yn gryn atyniad ym Mryn-du, fel mewn ardaloedd eraill, a thyrrai amryw yno am sgwrs a thrafodaeth. Un noson roeddynt yn trafod y gred o ddod yn ôl i'r byd mewn ffurf wahanol a'r cwestiwn dan sylw, wrth gwrs, oedd hwn: fel pwy y carent hwy ddod yn ôl y tro nesaf? Atebodd un yn wawdlyd braidd y carai ddod yn ôl i'r hen fyd yma fel mul. Eglurodd Owen i'r cyfaill na châi fyth mo'i ddymuniad gan na chaniateid i neb ddod yn ôl yn yr un ffurf ag y bu y tro cyntaf.

Ond na chredwn mai dim ond rhyw feddwyn yn byw ar ei ffraethineb oedd Owen Owens, Saith Llathen. Yr oedd ynddo barch at bobol a pherchid yntau gan bawb. Delfrydau'r Ysgol Sul a'r seiat oedd ei ddelfrydau yntau yn y bôn a doedd neb ym Mryn-du Fethodistaidd mor olau yn ei Feibl ag ef. Darllenodd ef o glawr i glawr deirgwaith a medrai ei ddyfynnu'n gywir ac effeithiol. Pan gâi'r plant dasgau Beiblaidd yn y Band o' Hôp a hwythau'n methu'n lân â'u hateb er pob cynnig a holi, fyddai dim amdani ond gofyn i Owen, boed sobor neu feddw, a byddai'r ateb cywir ganddo.

Yn 1934 fe'i carcharwyd fel drwgweithredwr am beidio â thalu ei rent o ddeunaw ceiniog yr wythnos ers rhai wythnosau. Er bod y landlord yn byw drws nesaf, doedd dim trugaredd i'w gael a mynnai i'r gyfraith gymryd ei chwrs. Bu Owen dan glo am bedwar diwrnod ar ddeg – cyfnod hir felltigedig, meddai. Cerddodd o orsaf Tŷ Croes ymhen y pythefnos, yn gwbwl rydd a heb unrhyw surni na chwerwedd, a chyfarchodd ei landlord gyda gwên! Yn wir, fe ymffrostiai Owen iddo gael cyfle am y waith gyntaf erioed i ddarllen y Beibl yn Saesneg. Er mwyn profi'r ffaith, dyfynnai ddarn o adnod, 'And Job answered and said . . . !' Yn ôl Owen roedd y Beibl Saesneg yn gwbwl wahanol i'r Beibl Cymraeg!

Bu trasiedi enbyd ym Mryn-du ar 29 Gorffennaf, 1929, pan foddodd Goronwy, mab i frawd Owen, Richard Owens, ar draeth Penlon gerllaw. Wedi dyddiau o chwilio cafwyd hyd i'w gorff ac fe'i dygwyd i fadrodd (cwt ar gyfer gwarchod cyrff) ym mynwent Llanfaelog. Ei ewythr, Owen Owens, a wirfoddolodd i aros yno i wylio'r corff, nos a dydd, nes cafwyd arch iddo – arwydd arall o'r tynerwch a'r cydymdeimlad a oedd ynddo at eraill.

Deuai'r nodweddion hyn yn amlycach fel yr heneiddiai ac fe laddeiriodd ei ysbryd. Sylwodd, ar ei ffordd o'r dafarn un noson, fod golau yn yr Ysgoldy a gwyddai'n iawn mai'r Seiat oedd yno. Mentrodd at y drws yn ddistaw a gafaelodd yn dyn, dyn yn y dwrn ond methai gael digon o nerth, neu blwc, i'w throi. Aeth adref i'r Saith Llathen ac yno, yn y groglofft dlawd a llwm, y bu farw Owen Owens yn Ionawr 1951.

Cymeriadau'r Fydlyn

Tybed na fu i'r Brenin Mawr guddio ambell lecyn prydferth yn fwriadol, rhag i neb ei ddifwyno? Os gwir hynny, fe lwyddodd i guddio un o lecynnau pryd-ferthaf y deyrnas – y cildraeth hwnnw a elwir yn Fydlyn – ar ochr de-orllewin Pencarmel. Dyma, yn ôl trigolion yr ardal, yw'r pwynt pellaf o Bont y Borth ar draws yr Ynys.

Nid yn unig mae yma draeth prydferth a 'llonydd gorffenedig' yn ychwanegiad rhyfeddol at y prydferthwch, fe berthyn i'r gilfach hon rhyw ramant byw hefyd. Cred amryw mai dyma'r ardal fwyaf rhamantus ym Môn i gyd, a hynny ar gyfrif y cymunedau a gysylltir â'r lle. Perthyn i gymeriadau'r ardal hagrwch a ffyrnigrwydd yr hen greigiau ysgithrog a'r môr, ac mae iddynt fwynder y llonydd gorffenedig hefyd.

Ni fu erioed gymeriadau hafal i'r rhain am drysori eu traddodiadau a'u hanes a'i gyflwyno i'r genhedlaeth a ddilynai, ac nid rhyfedd i'r fath chwedloniaeth dyfu o gwmpas y lle a'r trigolion, nes ei bod hi'n anodd braidd didoli'r gau oddi wrth y gwir erbyn hyn. Mewn ardal bellennig o dyddynnod ar dir digon gwael, yr oedd 'nain' yn un o brif gymeriadau'r gymdeithas. Byddai rhaid i'r mamau weithio allan ar y tir, a'r neiniau fyddai'n magu a gwarchod y plant – heb lyfrau na theganau – dim ond eu dawn i adrodd hanes yr ardal ar ffurf storïau. Dyna ichi ysgol!

Heb os, Lizi Jones, Rhoscryman yw'r hynaf o'r neiniau y gwyddom amdani. Bu hi fyw i droi ei chant oed, gan gydoesi â'r hen Frenhines Fictoria. Ymffrostiai Wil Huw, ei gor-ŵyr, na chafodd Lizi Jones erioed botel o ffisig.

'Mi aed i nôl un iddi o Fodedern', meddai, 'ond roedd hi wedi marw cyn iddynt gyrraedd. 'Ac felly,' ychwanegodd, â gwên lond ei wyneb, 'chafodd hi erioed ffisig!'

Hen chwedl am y Fydlyn fyddai'r brif stori a adroddai neiniau'r fro i'w hwyrion a'u hwyresau, ac yn ôl y chwedl honno (a gysylltir â'r amser gynt ac â'r ynysig a'r ogofâu sydd mor nodweddiadol o'r lle), glaniodd ysbiwyr o Lychlyn ar y Fydlyn i ymosod ar y trigolion. Bu iddynt ddymchwel eu garsiwn ar Ben Bryneglwys a difrodi'r ardal o gwmpas, ac yn waeth na'r cyfan, bu iddynt gymryd merch y pennaeth lleol yn gaeth.

Yr oedd Rona yn ferch brydweddol a roes ei chalon i arwr lleol hynod o boblogaidd. Yn ei gynddaredd, er mwyn ei hennill, cadwynodd pennaeth y gelyn hi yn ogof y Fydlyn gan ddisgwyl yno i weld y llanw yn codi drosti. Ond, wrth gwrs, daeth ei chariad i'w thorri'n rhydd! Rhuthrodd y pennaeth amdanynt â'i gleddyf yn ei law, ond ar hyn disgynnodd carreg enfawr arno o do'r ogof a'i ladd. Dilynwyd y ddau ffoadur gan y gelynion ar hyd yr ynysig ar draeth y Fydlyn ond daeth dihangfa eto – holltwyd yr ynysig yn ddwy, gan adael Rona a'i chariad ar un rhan ohoni a'u gwrthwynebwyr ar y rhan arall. Byddai plant yr ardal yn cael cadarnhad fod stori Nain Rhoscryman yn wir pan welent yr ynysig fach wedi'i rhwygo'n ddwy.

Ond nid chwedl yw pob stori am y Fydlyn a'i rhamant.

Bu'r hen dafarn yn dyst i sawl stori wir am y llecyn. Bellach nid oes faen ar faen o'r hen dafarn, ond diolch bod rhai o'r fro yn cofio'r hen furddun a storïau neiniau'r ardal a roes fywyd yn y lle.

Pam codi tafarn mewn man mor ddiarffordd, ar fin ceunant cul a throellog yn arwain i draethell unig y Fydlyn? Beth a dynnai bobol yno?

Byddai llawer o'r llongau yn angori yng nghysgod Ynys y Fydlyn ac âi'r criw i dorri eu syched i'r dafarn, a dyna gyfle da i ladron neu smyglwyr lleol fynd am helfa. Mae stori am hen deiliwr o Rydwyn, dafliad carreg i ffwrdd, a aeth yn ei gwch i ysbïo'r llong a angorai yn agos i'r lan gan y gwyddai fod brethyn yn rhan o'i chargo. Cafodd afael mewn llathenni ohono a dechreuodd ei rowlio'n rholyn. Wrth fynd ati i'w dorri yn y tywyllwch, sylweddolodd fod yna leidr arall wedi cychwyn o'r pen arall! Yn ei ddychryn galwodd,

'Does yma ladron diawledig o ddigywilydd! Mynd â thamaid o geg dyn tlawd!'

Mae tystiolaeth gref y bu'r Fydlyn yn borthladd cudd a hwylus i smyglwyr. Bu effeithiau Rhyfeloedd Napoleon ar bris grawn a bara yn enbyd ar ffermwyr bach yr Ynys; roedd yr ŷd yn brin ac yn ddrud a chafwyd cyfres o gynaeafau gwlyb a gwael ddiwedd y ddeunawfed ganrif a dechrau'r bedwaredd ar bymtheg. Manteisiodd smyglwyr o Ynys Manaw, mae'n debyg, ar y sefyllfa argyfyngus a chawsant lanfa wych i ddelio yn y Fydlyn. Deuai pobol Môn, fawr a bach, yno rhag newynu. Cerddent yn llechwraidd i fyny'r Ceunant cul dan eu baich, ac wedi boliad o gwrw cartref yn Nhafarn y Fydlyn aent ar eu taith!

Ond nid smyglwyr o bell yn unig a ddeuai i'r Fydlyn;

deuai digon o rai lleol hefyd! Byddai hen deulu Rhoscryman Bach yn dipyn o fôr-ladron a defnyddient y gilfach hon i ysbeilio'r llongau a hwyliai heibio. 'Dyrnau haearn' fyddai'r glasenw awgrymog arnynt ac yn ôl y sôn, gorfu i un brawd o'r teulu ddianc i'r Amerig, a bu farw yno yn ddyn cyfoethog iawn.

Ac nid brodyr Rhoscryman Bach fyddai'r unig smyglwyr yn yr Ardal Wyllt! Dibynnai'r tyddynwyr hyn fwy ar y môr o lawer na'u tipyn tir a heb os, chwaraeodd y dafarn ran neilltuol yng nghynhaeaf y môr. Diolch i hen wraig Rhoscryman, mae ar gof o hyd yn y fro hanes y byblicanes a fu'n cadw'r dafarn.

Ar nosweithiau stormus tua chalan gaeaf, byddai cwsmeriaid a phyblicanod tafarn y Fydlyn yn hanner gweddïo yr âi llong ar y creigiau, ac ildio cynhaeaf da iddynt. Ar ôl nosweithiau felly fe godai Margiad Jones y Dafarn, hen wraig fechan wargam, yn blygeiniol ac i lawr â hi i'r traeth i chwilio am ysbail. Ar un o'r achlysuron hynny, wedi'r noson fwyaf stormus mewn cof, aeth Margiad i lawr i Borth y Nant yn y bore bach gan y gwyddai mai yno y byddai'r storm wedi ildio'r cynhaeaf gorau. Rhwng dau olau gwelai gyrff y llongwyr druan ar y traeth a phenliniodd wrth bob un, yn hanner defosiynol, i'w di-bocedu. Cerddai'r traeth yn gwmanllyd gan lusgo sach ar ei hôl a phan welodd rhyw druan rhwng byw a marw, rhoes bwniad iddo â'i phastwn gan sibrwd,

'Gwna dy feddwl i fyny erbyn y dof yn ôl!'

Ond, ar hindda, roedd perthynas digon cyfeillgar rhwng y morwyr a'r tyddynwyr. Byddai llanciau Brynrhwydd, tyddyn ger y môr, yn gwerthu llawer o'u cynnyrch i'r llongwyr gan fod y môr yn ddigon dyfn yma i'r llongau ddod yn agos iawn i'r lan. Cariai'r llanciau eu tatws mewn casgenni a chaent dâl amdanynt mewn nwyddau – halen neu de neu siwgwr. Ond, yn hwyr neu'n hwyrach, mae rhywun yn siŵr o ladd yr ŵydd sy'n dodwy'r wyau aur! Aeth un o'r llanciau yn farus a llanwodd y gasgen â thail, gan daenu tatws ar yr wyneb. Cafodd ei dalu fel arfer ond, yn ei euogrwydd, cadwodd y llanc hwnnw'n glir am ysbaid! Ymhen peth amser, gan gredu fod y morwyr wedi anghofio, aeth eto â'i datws i'w gwerthu. Taflwyd y rhaff i gyrraedd y gasgen, ond cyrliodd am wddf y llanc a thynnwyd ef i fyny ar fwrdd y llong wedi hanner ei dagu. Dygwyd ef i Lerpwl gan ei adael yno i gymryd ei siawns i gerdded yn ôl i'r llecyn pellaf o Bont y Borth!'

Mae'n amlwg fod tatws yn gynnyrch reit boblogaidd yn ardal y Fydlyn oherwydd, yn ôl y sôn, bu yma dafarn datws led dau neu dri chae o'r dafarn gwrw, ar dir y Taldrwst. Y mae cae perthynol i Hen Du a elwir o hyd yn Gae y Dafarn ac yno y credir yr oedd y dafarn honno. Tybed ai yma y bu Siop Sglodion gynta Môn?

Nid yn unig bu Porth y Fydlyn yn archfarchnad hwylus i drigolion yr ardal, bu hefyd yn dynfa boblogaidd iawn iddynt blesera. Yr oedd gan bob ardal bron ei gŵyl fabsant yn y ddeunawfed a'r bedwaredd ganrif ar bymtheg, ac yr oedd gŵyl Llanfair-yng-Nghornwy ymhlith y rhai mwyaf poblogaidd.

Mewn cofnod yn ei ddyddiadur, fe gwynai William Buckley, y Brynddu, fod cyn lleied yn Eglwys Llanfechell am fod y plwyfolion bron i gyd wedi mynd i Lanfair-yng-Nghornwy. Byddai Margiad y dafarn yn hynod falch o braidd y person o Lanfechell, gan mai yno, ym Mhorth y Fydlyn, y byddai'r hwyl a'r dathlu.

Rhan ganolog o'r dathlu hwnnw fyddai llosgi nyth y gigfran. Nythai ar graig uchel y Fydlyn a wynebai'r gogledd-orllewin, allan o gyrraedd pob rhyw elyn, a daeth yr arfer hwn o losgi'r nyth ar y Sulgwyn yn un o atyniadau mwyaf poblogaidd y flwyddyn. Gollyngid eithin a grug wedi'i danio i lawr y graig a'i symud at y nyth i losgi'r cywion. Ar y diwedd mynnai rhai benderfynu hen gweryl-on trwy fytheirio a rhegi ei gilydd, a cheid ymladdfeydd creulon pryd y câi rhai eu lladd. Câi'r dihiryn a brofid yn euog ei grogi yn y Taldrwst gerllaw (llygriad yw hwnnw o 'tal-drawst' – lle crogi), ac mae'n debyg y byddai cwrw Margiad yn gyfrifol i raddau am ymddygiad o'r fath.

Nid rhyfedd i John Elias, 'esgob' Môn, benderfynu rhoi terfyn ar y fath anfadwaith. Yr oedd ef yn aelod hefo'r Methodistiaid ym Methel Hen, Llanrhuddlad gerllaw. Ar bnawn o Sulgwyn braf cerddodd John Elias i lawr y ceunant yn ei lifrai ddu a'i het fflat, gantellog. Safodd ar faen uchel a phregethodd yn huawdl i'r dyrfa afreolus. Bu distawrwydd, ymdawelodd pawb ac aethant adref. Dyna'r oedfa fwyaf dylanwadol a fu erioed yn yr ardal. Aeth Margiad y dafarn yn ôl i'w thŷ, nid wedi ei chyfiawnhau ond wedi ei siomi'n fawr.

Yn ddiddorol iawn, fe ddeil y gigfran i ddod i'r un fan i fagu ei chywion gan grawcian yn gras, fel pe'n diolch i'r Methodist cul hwnnw am achub ei chynefin!

Jac Bwth

Onid ydi'n rhyfeddol fel y glyna enw wrth bobol? Bydd yn rhaid i rai oddef y ffugenw a gawsant yn eu plentyndod drwy eu hoes, tra bydd enw'r tŷ lle'u ganwyd yn aros gydag eraill yn aml iawn. Nid yw hyn mor wir bellach yn y gymdeithas symudol – aiff llawer un yn rhy bell o gylch ei gynefin a'i gydnabod, ac o ganlyniad fe'n dieithrir oddi wrth ein gilydd. Ond fe berthyn John Jones i oes a chenhedlaeth y filltir sgwâr; etifeddodd enw ei gartref cyntaf *ac* fe anwylwyd yr enw John yn Jac!

Ganwyd Jac mewn bwthyn a hwnnw'n fwthyn bach – Bwth Bach, Capel Gwyn, Engedi. Dyma ardal nodedig am ei chymeriadau, ardal John Parry'r Fach, un o borthmyn moch hynotaf Môn ddaeth i sylw'r genedl yn sgil ei ymddangosiad cofiadwy hefo Dai Jones ar y rhaglen *Cefn Gwlad*.

Yr oedd Jac Bwth yn dipyn o gymêr hefyd! Dyn byr, llydan a soled oedd Jac. Gwisgai bâr o drowsus melfaréd a gâi ei altro i gynnwys ei gorffolaeth gynyddol ac roedd golchi'r blynyddoedd wedi gwynnu cryn dipyn ar ei lodrau. I baru â'r trowsus gwisgai ffunen boced goch gydag ambell smotyn gwyn yn dal ei gafael arni.

Cafodd y cyfan o'i addysg yn Ysgol Pencarnisiog a cherddai yno pan oedd y Diwygiad yn ei anterth ym Môn.

Fel y rhan fwyaf o'r bechgyn, ni hidiai ddim am ysgol. Ni châi plant yr ardal fawr o blentyndod; nid chwarae marblis a phêl a wnaent ond yn hytrach mwynhau byd a bywyd ffermydd yr ardal. Ond yr oedd yna achlysuron a oedd yn ddigon pwysig i roi gwyliau o'r ysgol iddynt. Fel y tystia llyfrau log yr ysgol o ganol y bedwaredd ganrif ar bymtheg hyd ganol yr ugeinfed, roedd dau achos neilltuol ym Môn a hawliai gau'r ysgol, ac achosion crefyddol ac amaethyddol fyddai'r rheiny.

Plentyn bychan pum mlwydd oed oedd Jac Bwth ar 6 Mehefin 1905 pan gofnododd y prifathro, 'Most of the children were absent this afternoon, probably because Evan Roberts the revivalist is due at Bryndu this evening.' Cafodd Jac wyliau eto'r diwrnod hwnnw pan ysgrifennodd y prifathro, 'The Methodists are today holding their musical festival at Bodedern, only a very small school.'

Hawdd dychmygu llawenydd y plant eto, ar ddydd Mawrth y grempog, 'School dismissed at three today, a concession on Shrove Tuesday for good attendance.' Dro arall, 'Holiday today – clapping day.'

Ond, heb os, y gwyliau gyda chyflog a apeliai fwyaf atynt, yn enwedig at Jac. Dyma gofnod eto o'r llyfr log, 'Farmers are now busy with the thinning of turnips and a few of the biggest boys have during the last two weeks been employed on some of the farms.'

Sylweddolodd Jac ers yn ifanc iawn fod crefydd ac amaethyddiaeth yn bwysig ryfeddol, yn ddigon pwysig i blant ysgol gael gwyliau. Ymffrostiai fel y byddai'n ymestyn y cynhaeaf tatws bron ddeufis ac fe roddai ddyddiau lawer i foddi sawl cynhaeaf arall hefyd.

Ond os nad oedd ganddo ryw lawer o archwaeth am

addysg ffurfiol yr ysgol, mi ddysgodd yntau grefftau cyntaf dynolryw gyda chryn ragoriaeth. Yr oedd Jac Bwth yn perthyn ac yn cynrychioli'r dosbarth mawr hwnnw o ddynion gloyw a gonest eu gwaith, dynion cefn gwlad a dynion â phridd yn eu gwaed. Dynion oeddent a fedrent droi llaw at fyrdd a mwy o orchwylion bob dydd ar y fferm. Dynion rhwng dau gyfnod – oes y dechnoleg newydd a'i pheiriant i bopeth, ac oes radlon y dwylo cywrain a'r nerth bôn braich gorchestol.

Wedi cyrraedd ei bedair ar ddeg – oed yr addewid – gadawodd Jac yr ysgol a mynd i 'weini ffarmwrs'. Dysgodd gneifio, dilyn y wedd, codi cloddiau pridd a waliau cerrig, hel merched a hel diod; roedd yn feistr ar y rhain i gyd.

Pan droes i'r Queen's yn Nhŷ Croes ar ei ffordd o'i waith un noson, yn sychedig ryfeddol, cwynai rhyw greadur trwynsur wrth y bar am fod y cwrw wedi codi i chwe cheiniog y peint,

'Hitia befo,' meddai Jac, 'mae o'n ffiaidd o rad am stwff mor dda!'

Fel y miloedd eraill, ymunodd â'r lluoedd arfog yn gwbwl ddi-gwestiwn tua diwedd y Rhyfel Byd Cyntaf. Yn naturiol, fel dyn y tir, fe'i rhoed yng ngofal allforio ceffylau i Ffrainc ac yr oedd wrth ei fodd gan ei fod yn deall y ceffylau i'r dim,

'Ond,' protestiai Jac, 'doeddwn i'n deall dim ar y diawliaid Ffranco 'na; welis i erioed frid o bobol mor felltigedig o anodd i'w deall!'

Wedi tymor yn y fyddin daeth gartref i Fôn i weithio yn y chwareli cerrig yn Hengae, Llangaffo, Clegir Mawr, Gwalchmai a'r Gwyndy. Cafodd brentisiaeth dda i adnabod a thrin cerrig, crefft y daeth yn enwog ynddi.

Fel chwarelwr fe ddysgodd drin powdwr du hefyd – camp ddefnyddiol iawn – ac fel amryw eraill o Fôn yn y cyfnod fe roes yntau dro i lawr i byllau glo'r De, lle cyfarfu â Mathew Bach a fu'n gymaint o arwr iddo.

Yn unol â phatrwm y pyllau, gorffennodd y gwaith yn ddisymwth a gadael Jac heb arian i ddychwelyd i Fôn. Bu'n rhaid iddo weithio ei ffordd gartref ar droed, gan ennill ei bryd bwyd yma ac acw cyn cychwyn ymlaen eto. Dysgodd ar y daith gofiadwy honno 'na ddylid cywilyddio oherwydd tlodi, ond mae'n beth anhwylus ddiawledig'.

Cyrhaeddodd yn ôl i Fôn i ddigon o waith ar y ffermydd a bu'n byw yn hapus yn y llofft stabal. Wrth droi am adref un noson o'r Llan fe droes at un o'i ffrindiau,

'Os na fydda i yn y ciando erbyn deg o'r gloch mi fydd y chwain yn dŵad i chwilio amdana i.' Bu'r hen fatras wellt yn fagwrfa dda i chwain yn oes y llofft stabal.

Sais oedd piau un o'r ffermydd y bu'n gweithio arni ac yr oedd ganddo gryn feddwl o Jac. Ymddiriedodd botelaid fawr o ffisig iddo ef a'i bartner i'w roi i fustach gwael, ond cyn i'r meistr orffen ei orchymyn yr oedd Jac wedi adnabod y ffisig – tri hanner peint o'r brandi gorau – y ddos orau i anifail wedi oeri. Cytunodd y ddau was â'i gilydd na châi'r bustach yr un diferyn o'r ffisig drud, pa mor wael bynnag ydoedd. Perswadiodd y naill y llall fod y bustach yn siŵr o wella ac yfodd y ddau y botelaid rhyngddynt, gan deimlo'n well o lawer! Holodd y meistr fore trannoeth,

'How is the bullock today, Jack?'

'Much better, thank you, Sir,' atebodd Jac a'i dafod yn dal yn dewach nag arfer!

Wedi gweini am dymhorau, fe setlodd i lawr yn ardal Llannerch-y-medd a gweithio bellach hefo'r dechnoleg fodern, gyda pheiriannau'r Wâr Ag. Gan fod prinder dynion yn ystod y rhyfel, fe ddyfeisiwyd peiriannau i gymryd eu lle a chrwydrai Jac rannau helaeth o'r sir hefo'r dyrnwr mawr. Yr oedd gorfodaeth ar i bob tyddyn a fferm dyfu mwy o rawn nag erioed ac o ganlyniad roedd Jac yn dyrnu rownd y flwyddyn.

Mae stori am swyddog pwysig o'r Wâr Ag yn galw mewn tyddyn bychan i weithredu'r orfodaeth ac, yn sŵn y tractorau a'r gwehyddion anghelfydd, y tyddynnwr yn troi at y swyddog gan ddweud,

'Mi rydw i'n eich gweld chi'n debyg iawn i gychwyr yn trio cynnal regata mewn siambar pot!'

Ond fel torrwr beddau yr adnabyddid Jac Bwth yng nghylch Llannerch-y-medd, ac fe wyddai pawb fod rhywun wedi marw pan welent ei gaib a'i raw wrth ddrws y Bull. Ar ei ffordd o'r fynwent un pnawn tesog o haf, fe droes i'r Bull am ddiferyn, ac yno yr oedd un o gymêrs y Llan wedi dod â thâp o'r ymadawedig. Rhoes y peiriant ymlaen o fewn clyw Jac, ond o'r golwg,

'Maen nhw'n codi fel rwyt ti'n eu claddu nhw, Jac,' meddai.

'Paid â phoeni,' meddai Jac, 'wedi dod draw am ei beint olaf mae o. Mi aiff yn ei ôl toc, gei di weld!'

Bu wrthi'n ddyfal ac yn ddygn un pnawn Sadwrn yn cael bedd yn barod erbyn pnawn Llun. Glawiodd yn drwm nos Sadwrn a thrwy'r Sul a phryderai beth fyddai cyflwr y bedd agored. Aeth draw i'r fynwent yn llechwraidd wedi'r oedfa nos Sul ac er ei syndod a'i siom yr oedd un ochr y bedd wedi syrthio i mewn, a'i gau,

'Mi fasa'n dda gen i pe bai'r diawl yna yn y bedd agosaf wedi aros yn llonydd yn lle creu'r fath helbul imi!' meddai.

Fel y rhan fwyaf o bobol Môn bryd hynny yr oedd yn Rhyddfrydwr selog, ac fe gyfeiriai yntau at yr Aelod Seneddol fel 'Megan' yn unig – er ei bod hi'n ferch i Lloyd George. Credai nad oedd neb yn deilwng i gynrychioli Sir Fôn yn y Senedd ond hi, a chredai hefyd ei bod yn bwysig fod pawb yn defnyddio'i bleidlais.

Cydgerddai â chyfaill i bleidleisio un tro. Roedd y cyfaill wedi troi ei gôt ac yn Llafur poeth erbyn hynny (plaid oedd yn dechrau ennill tir ym Môn). Gan fod ei ffrind yn an-llythrennog trefnwyd bod Jac yn mynd i bleidleisio gyntaf ac yna'n egluro wrth ei gyfaill leoliad yr ymgeisydd Llafur ar y papur. Dywedodd Jac wrtho am roi ei bleidlais ar ôl yr ail enw ar y rhestr ac aeth adref yn hapus, wedi ennill pleidlais i Megan o le annisgwyl!

Mynnai Jac a Grace Jones fynd i bleidleisio er iddynt lesgáu gyda'r blynyddoedd. Trefnwyd i gael car i'w nôl un flwyddyn ond, â Jac yn fyr ei amynedd erbyn hyn ac er nad oedd hi ond deg o'r gloch y bore, mynnai gan Grace frysio rhag i'r lle gau! Wedi cyrraedd Ysgol y Llan, roedd yn benderfynol y byddent ill dau yn mynd i'r bwth hefo'i gilydd, rhag i unrhyw gamgymeriad ddigwydd. Rhoes swyddog y gweithgareddau ar ddeall iddo, mewn tôn reit bwysig, y byddai'n rhaid iddynt bleidleisio ar eu pen eu hunain.

'Ylwch, frawd,' meddai Jac, 'mi rydw i wedi rhannu aelwyd, rhannu bwrdd brecwast a hyd yn oed rhannu gwely hefo hon am dros hanner can mlynedd, a elli di na neb arall o dy frid fyth fy rhwystro i rhag rannu bocs fotio hefo hi!'

Fe erys llawer iawn o ddywediadau byr a bachog Jac

Bwth yn gof byw amdano. A dyma, mae'n debyg, yr un a glywid amlaf o'i enau,

'Gwna'n siŵr dy fod yn gwybod y cwbwl yr wyt yn ei ddweud, ond paid byth â dweud y cwbwl yr wyt yn ei wybod!'

Gwilym Price

'Mae Gwilym Price ar y teli nos Sadwrn, yn arwain Noson Lawen o Sir Fôn. Cofia watsiad!' Dyna oedd yng ngheg pawb ar stryd Llangefni ac ym Mart y Gaerwen ddechrau Mawrth 2003. Deuai gwên i wyneb pawb wrth glywed enw Gwilym, gan y cysylltid ef â'r doniol a'r digri ac â chwerthin. Roedd pawb yn edrych ymlaen at wylio'r noson honno ar yr wythfed o Fawrth.

Ar ôl perfformiad gwych Ysgol Glanaethwy cerddodd Gwilym ymlaen, gan lenwi'r llwyfan llydan i'r ymylon. Yr oedd ei law dde yn ddyfn, ddyfn ym mhoced ei drowsus a sŵn crensian arian i'w glywed ar brydiau.

'Glywsoch chi hon?' meddai mewn llais a oedd yn goglais cynulleidfa, a gwên ddireidus yn ei lygaid. 'Y pregethwr hwnnw ar bnawn Sul melltigedig o boeth – mi fu *bron* imi roi gair cryfach! "Wela i ddim bai arnoch chi os ewch chi i gysgu i gyd," meddai'r pregethwr, "ond os *ewch* chi i gysgu peidiwch â chwyrnu, rhag ofn ichi ddeffro'r sawl sydd wrth eich ochor!" '

A dyna osod y gynulleidfa mewn cywair iawn am noson hwyliog. Ond yr hyn oedd yn fwy trist na thristwch oedd y gwyddem, bawb, i Gwilym farw'n ddisymwth ychydig wythnosau ar ôl i'r Noson Lawen honno gael ei recordio, ym mis Gorffennaf y flwyddyn cynt. Cafwyd caniatâd y teulu i ddarlledu'r rhaglen fel teyrnged iddo a'i gyfraniad arbennig fel un o ddoniau disgleiriaf Ynys Môn.

Mae i Gwilym Price le anrhydeddus yn oriel cymeriadau ffraeth a hwyliog Môn. Yr oedd ganddo hefyd bersonoliaeth glên a hawddgar, ac ymhlith y perlau o ddywediadau'r Fam Teresa y mae hwn: 'Peidiwch â gadael i neb ddod atoch heb iddynt fynd oddi wrthych yn teimlo'n well ac yn hapusach.' Mi gadwodd Gwilym Price y gorchymyn yma, yn fwriadol ac yn anfwriadol.

Fel y dywedodd ei weinidog mewn teyrnged iddo ar ddydd ei arwyl,

'Pan ddeuai Gwilym at unrhyw gwmni, deuai awel o 'sgafndra, a byddai ei wên heintus yn newid yr holl awyrgylch. Pwy allai fyth bylu'r wên honno?'

Fe allasai fod wedi byw ar ei ffraethineb a'i arabedd, ond fe ddewisodd feithrin ac ymarfer y ddawn a oedd ynddo yn y diwylliant gwerinol gorau. Fu dim rhaid iddo grwydro ymhell i gael y feithrinfa honno – yr orau yn y wlad. Daeth y Parch. Dewi Jones a Myra, ei wraig, i'r cylch yn y pumdegau a hwy oedd yn arwain Clwb Bodwrog. Dyma'r rhodd werthfawrocaf a gafodd pobol ifanc cylch Llangefni erioed. Medrai'r ddau hyn ddenu ac ennill serch yr ifanc o bob rhyw fan, ac yr oeddynt yn bencampwyr ar gerdd dant, canu gwerin a chyd-adrodd ar ben hynny.

Yr oedd gan Gwilym lais canu swynol a medrai gadw tonyddiaeth; yn iaith pobol Bodwrog yr oedd yn 'notar' da! A pha ryfedd? Roedd wedi ei feithrin mewn caniadaeth y gylchwyl, cymanfa a chyngerdd ers yn blentyn bychan. Daeth Bodwrog yn enw amlwg ar fap eisteddfodol Cymru yn fuan iawn; fu'r fath weithgaredd diwylliannol erioed mewn pentref mor fychan. Yr oedd Gwilym yn rhan o'r bwrlwm cyfoethog yma, a'i lais yn gweddu i'r dim i gerdd dant, canu gwerin ac unawdau, a bu'n aelod da ac yn gaffaeliad i'r clwb fel canwr, adroddwr ac actor.

Crwydrent y wlad o benbwygilydd i eisteddfodau a dod â llwyddiannau lu i Fodwrog ac i Fôn. Ymhlith sawl gwobr genedlaethol, mae'n werth nodi eu camp yn Aberafan yn 1966, pan gipiodd y Côr Cerdd Cant a'r Côr Adrodd y wobr gyntaf, yn ogystal ag ennill yr ail wobr ar y Gân Werin.

Nid yn unig fe roddai'r crwydro a'r eisteddfota gyfle i Gwilym ymarfer ei ddawn fel canwr ac adroddwr a magu profiad, câi gyfle hefyd i ymarfer nodwedd arall o'i eiddo, sef direidi. Fu erioed greadur mwy direidus na fo. Yr oedd yn rhan, os nad yn symbylydd, pob direidi – hefo Gwilym Penbryn, i fod yn fanwl gywir! Erys sagâu'r pranciau a'r direidi hyn yn emau i'w trysori gan ei gyfeillion.

Trio cysgu mewn fan ar noson lawog a honno'n gollwng fel gogor. Dro arall cael cynnig festri damp a throi'r meinciau caled o ffawydd coch yn welâu anghyfforddus. Gwilym yn galw'n uchel gefn nos,

'Beth wnaethon ni, bois, i haeddu peth fel hyn?'

Dro arall cryn ugain ohonynt yn troi ysgol oer yn fan cysgu, a rhaid cofio nad oedd sachau cysgu mewn bod ar ddechrau'r chwe degau – ym Modwrog, beth bynnag! Treuliai Gwilym y nosweithiau ar eu hyd yn difyrru'r cynulleidfaoedd cysglyd ac yn ymarfer ei ddireidi, ond mi fyddai digon o fywyd ynddynt y diwrnod canlynol, nid yn unig i gael llwyfan ond i ennill y gystadleuaeth hefyd.

Yr oedd Clwb Bodwrog yn tynnu o gylch reit eang ac ni fu'n rhaid i Gwilym fynd y tu allan iddo i gael gwraig. Roedd Anwen, merch o Ros-meirch, wedi rhoi ei bryd arno o'r olwg gyntaf, yn ôl ei chyfaddefiad ei hun! Ond bu'n rhaid iddi aros yn o hir,

'Mi roedd o'n *fully booked* o hyd,' meddai Anwen – mor onest.

Priododd y ddau ar benwythnos cyntaf mis Awst, wythnos yr Eisteddfod! Aethant i Gaerdydd i gychwyn y mis mêl ond byr fu'r arhosiad, gan fod y 'Steddfod yn y Barri. Yno â nhw erbyn canol pnawn Mawrth a dod o hyd i'w cyfeillion ar y maes – Willie Richard a Nansi, a Wil a Beti, dau bâr o Ros-meirch. Wedi'r cyfarchion a'r tynnu coes, holodd Gwilym yn betrus,

'Sgynno chi hanes lojins i ni'n dau?'

'Llety i ddau ar eu mis mêl!' ebychodd Beti druan. Wedi tawelwch annymunol o hir, dywedodd un o'r ddau Wil,

'Dowch hefo ni.' Gwyddai gwragedd y ddau Wil fod eu llety nhw'n llawn ond eglurwyd y sefyllfa i'r wraig, a daerai nad oedd lle yno ac yn sicr doedd ganddi ddim lle i ddau ar eu mis mêl – fel pe bai'r rheiny o ryw frid gwahanol.

'Os hoffet gisgi ar y llawr hefo dy gwraig – all is well with me!' meddai ceidwad y llety yn iaith y Barri, ond ynghlwm â'r addewid yr oedd amod pendant,

'Mi fidd lots o pobol yn trafaelu ffordd hin yn gynnar yn y bore, so bid raid ichi godi o flân pawb a paco gweli lan – a diflanni.' Gwrandawai Gwilym a'i geg ar agor, yn ceisio gwneud sens o'r 'diflanni'.

Cododd yr hynimwnars cyn cŵn Caer; diflannodd Gwilym i fyny'r grisiau, a chan fod Wil yn molchi, aeth Cwil i'w wely at Beti – fel cog yn mynd i nyth aderyn arall!

Cartrefodd Gwilym ac Anwen yn Nyfriar ym mhlwyf Ceirchiog ac, yn naturiol, ymunodd Gwil â Hogia Bryngwran a bu ei gyfraniad iddynt yn gaffaeliad hynod o werthfawr. Rhoes yr 'Hogia' le parhaol i Fryngwran a Môn ar y map adloniannol. Y maent yn rhan o hanes grwpiau Cymru yng nghanol yr ugeinfed ganrif ac fe'i rhestrir yn bur uchel arni. Yr oedd eu canu yn fynegiant o'r asbri cenedlaethol a diwylliannol a nodweddai'r cyfnod ac ymfalchïai Gwilym iddo gael rhan gyda'r grŵp.

Mi gofiwn yn hir am sgestus hwyliog Hogia Bryngwran, gyda Gwilym yn chwarae rhan flaenllaw ynddynt, a bu eu Pantomeim blynyddol yn destun chwerthin am yn hir. Aeth y gweinidog newydd, Hugh Pritchard (hen gyfaill ysgol i Gwilym) i'r Pantomeim am y waith gyntaf wedi dod i Fryngwran. Yr oedd yn adnabod pawb o'r cast yn iawn hyd nes i ddynes fawr, wedi'i chladdu mewn colur, lamu'n drwsgwl o'r tu ôl i'r llenni ac i ganol y cwmni. Pwy yn neno'r nefoedd ydi'r ddieithwraig hon? meddai'r gweinidog wrtho'i hun, ond roedd y neuadd yn fwrlwm o chwerthin wedi clywed llais Gwilym mor eglur trwy'r colur.

Doedd dim yn rhoi mwy o foddhad na mwy o hyder iddo na chlywed cynulleidfa'n fôr o chwerthin. Llwyddodd y Prifardd Cen Williams, ei gyfaill, i'w ddal mewn englyn:

> Un welodd werth mewn chwerthin – un doniol
> Â dawn anghyffredin
> Un gair i oglais gwerin,
> A'i sgript yn goleuo'n sgrin.

Ond fe ddeuai Gwilym yn llawer nes nag ymyl llwyfan at bobol. Yn wir, fedrai o ddim byw heb eu cwmni. Yr oedd yn hoff ohonynt ac yn eu hadnabod, ac yn fwy na dim yr oedd yn eu deall ac o ganlyniad medrai gydymdeimlo â hwy. Nid rhyfedd ei fod yn llwyddo i gario a chadw'r gynulleidfa wrth arwain grŵp neu gyngerdd, heb unwaith eu tramgwyddo.

Yn ei waith bob dydd, nid oedd yn rhyw lawer o ffermwr a byddai'n amhosibl cael sgwrs am ffermio hefo fo! Ond byddai yn ei afiaith yn rhan o dîm yn Nhŷ Mawr, a gyflogent ddynion fel Contractwyr Amaethyddol. Yr oedd Iorwerth Hughes Tŷ Mawr ac yntau mor glos â Dafydd a Jonathan.

Wrth baratoi cnyswyd y dynion un bore, rhoes Elen, merch Iorwerth, borfa dda o ddail tafol yn lle letys i Gwilym. Wrth eistedd i fwynhau ei fwyd y diwrnod hwnnw yr oedd Gwilym yn bur siaradus ac yn llwglyd fel arfer, a dyma agor ei geg led y pen am y frechdan dafol, ond yn lwcus iawn iddo rhybuddiodd un o'r gwerthwyr ef mewn pryd!

Un bore gyrrai Gwilym ar hen dractor o Dŷ Mawr i'r Berffro. Yn y man daeth arogl tân o grombil yr hen siandri a gwelodd fflamau gwyllt yn dechrau gwau trwy'i gilydd. Stopiodd, cysidrodd. Doedd yna 'run nant na phistyll yn unman. Cofiodd am yr unig gronfa oedd wrth law. Safodd ar y tractor uwchben y tân, dadfotymodd ei falog gan arllwys y dŵr, a diolch byth yr oedd yno ddigon ohono.

Yr oedd hi'n stori rhy dda i'w chadw, ac mae hi bellach wedi ei hanfarwoli ar gân gan Cen Williams:

Cân i Dân

Tydi'n rhyfedd fel mae ambell un
Yn gallu creu ar ei ben ei hun,
A chlywais am ffarmwr un prynhawn
Fu'n uffernol o greadigol iawn.
Wrth fynd ar dractor i ochra Berffro

Daeth ogla mwg o rwla i'w ffroen o,
A gweled fflamia a wnaeth y gŵr,
Ond doedd ganddo fo ddim dafn o ddŵr . . .
Ond y pnawn hwnnw wrth ista ar sêt
Y tractor, daeth brên wêf i'n mêt,
Cododd yn sydyn a neidio fel chwip
Gan ruthro ar amrant i gyffinia'i zip.
A'i agor a wnaeth ar ochor y lôn
Ac roedd ei hen beth o, yn ôl y sôn,
Fel hôs peip yn fan'no ac yntau'n rhoi llam
I wagio'r holl hylif i ddiffodd y fflam . . .
Os bydd gennych dân yn rwla, rhywdro,
Peidiwch ffonio'r brigâd – cewch ei ffonio fo.
Daw acw ar unwaith a'i wyneb yn llon,
Ffoniwch êt won o, a ffôr nain won.

Arferai Iorwerth Hughes gadw dyddiadur i bwrpas y fferm yn unig – i gofnodi'r tywydd a'r gweithgaredd oedd ar dro'r diwrnod hwnnw, a phrisiau prynu a gwerthu gwartheg ac ati. Ond ar 21 Gorffennaf 2002 fe dorrodd ar yr arfer, gan gofnodi am y diwrnod hwnnw – 'Colli fy ffrind gorau!'

O bob cynulleidfa a'i gwerthfawrogai ac a'i collodd ar y dyddiad hwnnw, y fwyaf ohonynt i gyd oedd y tair ar aelwyd Dyfriar – Anwen, Mari a Rhian. Dyma'r gynulleidfa a roddai iddo'r encôr y byddai fwyaf parod i ufuddhau iddi, a phan dyfodd y gynulleidfa yn saith, daeth mwy fyth o foddhad i Gwilym:

Cwmnïwr, diddanwr o dad
A gŵr fu'n hael ei gariad.

Dic Gwalchmai

Nid oes yr un gweithgaredd awyr agored, boed ffair, garnifal neu ŵyl fabsant, yn gyflawn heb i Dic Gwalchmai fod yno. Dic y baledwr â'i bastwn, y diddanwr â'i chwerthin uchel – a'r tramp i ennyn tosturi pawb. Tyrra'r plant a'r bobol ar ei ôl, a bydd ei lais soniarus a'i osgo diniwed yn ennill edmygedd pawb.

Fe ddywedir fod gan bawb ohonom ei ddwbwl mewn pryd a gwedd, ond, yn y wir, rwy'n eitha siŵr na cheir ond un Dic Gwalchmai. Dyma'r creadur mwyaf amryddawn a adnabûm erioed ac mae'n resyn o'r mwyaf iddo ddod i'r hen fyd yma'n rhy fuan o lawer. Daeth Dic yn blentyn amddifad i fyd didostur ddechrau'r ugeinfed ganrif, ac nid oedd unman ar ei gyfer ef na'i fam ond tloty'r Fali. Yn y sefydliad hwnnw fe brofodd chwerwedd gwahanu – ei wahanu oddi wrth ei fam am byth a'i wahanu oddi wrth blant eraill, gan nad oedd wiw i blant y Sefydliad hwnnw gymysgu â phlant y byd y tu allan. Yma y gwelodd Dic ddynion anghenus yn galw i mewn i gael ymgeledd a'u glanhau, a'u troi fore trannoeth i'w teithiau digyfeiriad. Nid rhyfedd iddo felly, ers yn blentyn, ddysgu tosturio wrth dramps.

Bu Dic yn y Cartref am wyth mlynedd, yna fe'i hanfonwyd at deulu yng Ngwalchmai ac at Maggie

Thomas, ei fam newydd. O'r diwedd cafodd ymuno â phlant y pentref yn yr ysgol ac i chwarae. Agorodd hyn ambell ddrws i ddoniau neilltuol y plentyn amddifad. Ond buan iawn y daeth cyfnod yr ysgol i ben ac yntau bellach yn llanc pedair ar ddeg oed. I blant y cyfnod hwnnw, pedair ar ddeg oedd oed yr addewid – addewid am drowsus llaes! Trowsus byr at y pen-glin a wisgid gan bawb tan hynny, a deil Dic i gofio hen ddywediad yng Ngwalchmai – 'Mi ei di'n bell hefo trowsus llaes, cyllell a llinyn!'

Mynd i Gefncaefor yn was bach fu ei gam cyntaf dros y nyth. Bryd hynny yr oedd gwas bach yn was i bawb, 'yn was i was y neidr' fel y dywedodd rhywun. Deil Dic i gofio'i ddyletswyddau – plicio tatws, dau fwcedaid yn barod erbyn trannoeth. Gorchwyl arall fyddai golchi'r llestri godro, ac os gwelai'r feistres, Mrs Pierce, ddiffyg glanweithdra byddai'n rhaid iddo gael tywarchen dywodlyd i rwbio'r llestri'n loywon. Teimlai'n fwy o ddyn yn corddi gyda Poli, y ferlen, yn cerdded yn gylch i droi'r corddwr. Weithiau agorai'r feistres ddrws y gegin gan orchymyn i Poli arafu am fod y menyn yn twchu,

'Mi fyddai'r ferlen yn deall yn well na fi o lawer,' meddai Dic. Sylwai, pan ollyngid Poli i ryddid y cae wedi gorffen, y byddai'n dal i droi rownd a rownd yn fanno wedyn!

Byddai diwrnod dyrnu yn hunllef i was bach. Y fo a gariai'r dŵr i'r injan stêm, a chario'r peiswyn, y ddwy job mwyaf sobor mewn bod yn ôl Dic! Ar ddiwedd y dydd âi pawb i lofft y storws i weld y grawn, ond wnâi neb sylw yn y byd o'r peiswyn, a gariwyd drwy'r llwch a'r baw. Ond, chwedl Dic, 'dyna beth ydi bod yn was bach'. Uchafbwynt y tymhorau gweini fu prynu beic newydd – BSA – yn siop Hugh Go, ac nid benthyca beic yn Siop William Owen!

Rhoes dymor o chwe blynedd yn y fyddin wedyn, a hynny'n gwbl ddiymffrost. Daeth adref yn ôl i Walchmai wedi'r di-mob i gartref gwag, a chan ddiolch i'r perchennog am gadw ei denantiaeth talodd Dic yr ôl-rent i gyd. Erbyn hyn roedd bywyd y ffermydd wedi newid cryn dipyn ac o ganlyniad aeth i waith arall, gydag adeiladwyr gan mwyaf.

Ond diddanwr yw Dic yn anad dim; mynna droi pob lle a sefyllfa yn llwyfan i berfformio. Fu erioed greadur mwy amryddawn nag ef ac mae'n ddynwaredwr tan gamp. Gall grio dagrau a chwerthin pryd y myn, heb achos dros yr un o'r ddau. Mae ei grio ar lwyfan yn ennyn gwir dosturi ei gynulleidfa a'r funud nesaf gall ei chwerthin heintus beri i'r gynulleidfa ffrwydro chwerthin hefyd.

Arferai droi pob sefyllfa yn gyfle i berfformio yn y gwaith hefyd. Tros un awr ginio yn Rio Tinto, penderfynodd roi darn o bregeth yn null yr hen bregethwyr i'w gydweithwyr. Fel un o Walchmai, roedd wedi ei fagu a'i fwydo ym mhregethau a phregethu cewri Môn ac fe'u cofiai air am air, a'r dull o'u traddodi. Âi ei lais treiddgar trwy'r lle a'r cryndod araf yn cyffwrdd rhyw deimlad dieithr yn ei gynulleidfa annisgwyl. Chlywodd y to ieuanc erioed y fath berfformiad a holent, fel pobol Llyfr yr Actau gynt, 'Beth all hyn fod?' pan sychai Dic y chwys yn null yr hen bregethwyr!

Dro arall, ac yntau gyda'r cwmni enwog hwnnw, Pochin, yn adeiladu ym Mangor, gwelodd ei gyfle am dipyn o hwyl. Yr oedd sôn a siarad drwy'r lle am dîm pêl-droed AC Milan, a oedd i chwarae tîm Bangor mewn gêm gyfeillgar. Yn hwylus ryfeddol yr oedd Pochin yn adeiladu rhes o dai a wynebai gae Farrar Road. Er nad oedd sicrwydd pryd y byddai'r gêm fawr, cychwynnodd Dic stori iddo glywed o le da fod yr AC Milaniaid wedi cyrraedd y ddinas, ac y byddent yn ymarfer ar gae Bangor y prynhawn hwnnw. Erbyn canol y bore roedd y gweithwyr yn dechrau amau'r stori, o adnabod yr awdur! Synhwyrodd Dic yr amheuaeth ymhlith ei gydweithwyr a chafodd afael ar gôt y paentiwr, a oedd lathenni'n rhy fawr iddo, a sleifiodd i Ffordd Farrar amser cinio. Cerddodd yn awdurdodol o gylch y cae yn smalio pegio wrth fynd. Llwyddodd i argyhoeddi'r gweithwyr a thyrrodd pawb fel gwenoliaid ar y sgaffaldiau ar gefn yr adeilad, gyferbyn â'r cae, ac yno y buont drwy'r prynhawn, heb weld unrhyw ymarfer!

Cafodd Dic sawl llwyfan go iawn, a hynny er pan oedd yn ifanc. Yn anffodus, rhywbeth i ferched fyddai canu yn nyddiau ysgol Dic – wel, yng Ngwalchmai beth bynnag – gan y credent fod canu yn rhy ferchetaidd i fechgyn. Er hyn, apeliai canu yn fawr ato, ac yn ôl y sôn yr oedd yn 'soprano' o'r radd flaenaf. Âi i lawr at dafarn y pentref pan oedd yn blentyn i glywed y canu ar amser cau. Cofia'r ddau hynny yn nrws y dafarn, y naill yn cynnal y llall, ac yntau'n ysu eisiau ymuno â nhw. Deil i gofio'r alaw a rhai o'r geiriau:

Dacw long â'i hwyliau gwynion
Ar y môr yn mynd i Werddon;
Duw o'r nef, rho gymorth iddi
Er mwyn y Cymro glân sydd arni.

Wrth gyrraedd at 'y Cymro glân' torrodd y ddau yn nrws y dafarn i lawr i grio. Fe gâi perfformiadau felly ddylanwad rhyfeddol arno.

Ond yr un a gafodd y dylanwad mwyaf ar Dic oedd hen

faledwr o Sais a ddeuai i Walchmai ar ei dro. Rhoes y Gweilch lasenw iddo o'i arwyddgan, 'Hallelujah I'm a bum'! Rhyfeddai'r plant ato – yn un peth am ei fod yn canu caneuon Saesneg! Cerddai'r hen faledwr allan o'r dafarn, sefyll yn osgeiddig, gan gymryd mwy na'i siâr o'r ffordd fawr, a chanu o'i hochr hi:

> I went to some shop
> To beg for a piece of meat;
> The butcher came out
> To chase me throught the street.
> Hallelujah, I'm a bum,
> Hallellujah, I'm a bum.

Fe gâi'r hen 'Hallelujah' arian am ganu a byddai clapio dwylo byddarol – dau beth a apeliai'n fawr at Dic. Yn wir, fe gyfareddwyd y plentyn yn llwyr gan berfformiadau dramatig yr hen faledwr boliog. Cymaint fu'r edmygedd nes iddo ef ei hun roi cynnig arni o flaen y dafarn, ac yno y ganwyd un o faledwyr enwoca'n gwlad – Dic Gwalchmai.

Yr oedd hiraeth a deigryn yn ei lygaid wrth iddo geisio cofio alaw a geiriau ei faled gyntaf:

> Amser cynhaeaf y gwair
> Mynd hefo'r gribin, mynd fesul dipyn,
> Mynd hefo'r gribin amser cynhaeaf gwair.

Cafodd arian am ganu y tro cyntaf hwnnw a rhedodd i siop Mary Jôs i nôl gwerth dwy geiniog o sgolops – boliad da i hogyn llwglyd.

Gwelodd Hywel Thomas, yr ysgolfeistr, swyddogaeth arall i lais a dawn Dic drwy roi'r brif ran iddo yn yr opera *Romani*, a bu ei berfformiad yn llwyddiant eithriadol. Yr oedd ei lais tenoraidd yn berffaith fel llais merch, a chafodd sawl rhan felly. Yr oedd yn ei seithfed nef yn cael defnyddio'r ddwy ddawn o'i eiddo – canu ac actio. Bu'r cwmni'n teithio'r ynys yn perfformio'r operâu hyn a phawb yn rhyfeddu atynt.

Yn hwyr un pnawn, a'r cwmni i fod i berfformio ym Modedern y noson honno, trawyd Hywel Thomas, cyfarwyddwr y cwmni a chyflwynydd y noson, yn wael. Mynnodd Hywel Thomas fod y perfformiad yn mynd yn ei flaen ac y byddai Dic yn eu cyflwyno ac yn cyfarwyddo – prawf o'r meddwl uchel a oedd ganddo ohono. Wrth gyflwyno'r cwmni, ymddiheurodd hwnnw ar ran yr ysgolfeistr fel hyn, 'Yn nhragwyddoldeb Mr Hywel Thomas . . .' – roedd Dic wedi camgymryd 'tragwydd-oldeb' am 'absenoldeb'!

Yr oedd (ac y mae o hyd) gan Dic Gwalchmai bopeth sy'n angenrheidiol i wneud adroddwr da hefyd – llais clir, dau lygad mawr byw, ei wên a'i wg yn sillafu pob gair, a'i amseriad yn berffaith. O'r herwydd, enillai'n ddi-feth yn yr eisteddfodau lleol gynt.

Deil i gofio ac i adrodd rhai o'r darnau cyntaf a ddysgodd:

Yr enw hir

Ca'dd babi ei eni mewn pentra un tro,
Fu rioed y fath helbul a chyffro trwy'r fro,
Wrth weled ei dalcen mawr a hardd,
Proffwydwyd y byddai'n bregethwr neu fardd.
A rhag mai efe fyddai barnwr y Sir,
Dyna setlo ar enw, a hwnnw'n un hir,
Nid enw cyffredin fel Dafydd a Huw,
Ond Sion Robert Williams Cydwaladr Puw . . .

Ac eto, er ei holl amrywiol ddoniau, ei ddewis cyntaf yw'r baledwr a'r tramp, ac felly y caiff ei gofio yn bennaf.

Pan ofynnai Maggie Thomas iddo yn blentyn, 'Beth wyt ti am fod wedi tyfu i fyny, Dic?' – atebai yn gwbwl ddibetrus, 'tramp'. Fel y crybwyllwyd eisoes, bu'r rhain yn arwyr cudd i'r plentyn amddifad yn y Fali gynt ac yn destun ei dosturi. Yn wir, ymfalchïai pan gâi wisgo fel un.

Ac yntau unwaith ar ei ffordd i garnifal Gwalchmai, golygai groesi'r ffordd fawr, yr A5, oedd rhwng ei gartref a'r pentref. Cerddodd yr hen dramp yn bwyllog at ymyl y ffordd a chychwyn croesi. Wedi cyrraedd y canol daeth Jaguar mawr du ac arhosodd yn stond. Wedi croesi troes Dic, gan ryw hanner moesymgrymu, a gwên blentynnaidd yn llenwi ei wyneb coch. Daeth y gŵr bonheddig allan o'i gar, tynnodd bapur decpunt o'i waled a'i gyflwyno'n ddefosiynol i'r tramp.

'Thank you, Sir. Thank you, Sir,' meddai Dic yn foesgar.

Erbyn hyn, yr oedd dŵr yn diferu o ddannedd y Gweilch a wyliai! Aeth y bonheddwr ymaith yn credu'n siŵr iddo gyflawni mwy na neb arall yng Ngwalchmai y diwrnod hwnnw – gwneud tro da ag un o'r 'brodyr lleiaf'.

Pa ryfedd fod gan Dic Gwalchmai gerdyn ecwiti!